相棒

古轍

相棒 season 2　上

脚本・輿水泰弘ほか／ノベライズ・碇　卯人

朝日文庫

本書は、二〇〇三年十月八日〜十二月十七日にテレビ朝日系列で放送された「相棒」の第一話〜第十話の脚本をもとに、全九話に再構成して小説化したものです。小説化にあたり、変更がありますことをご了承ください。

相棒 season 2 上 目次

装丁・口絵・章扉／IXNO image LABORATORY

杉下右京　警視庁特命係長。警部。
亀山薫　警視庁特命係。巡査部長。
奥寺美和子　帝都新聞社会部記者。薫の恋人。
宮部たまき　小料理屋〈花の里〉女将。右京の別れた妻。
伊丹憲一　警視庁刑事部捜査一課。巡査部長。
三浦信輔　警視庁刑事部捜査一課。巡査部長。
角田六郎　警視庁組織犯罪対策部組織犯罪対策五（旧・生活安全部薬物対策）課長。
米沢守　警視庁刑事部鑑識課。
内村完爾　警視庁刑事部長。警視長。
中園照生　警視庁刑事部参事官。警視正。
小野田公顕　警察庁長官官房室長（通称「官房長」）。警視監。

相棒

season
2 上

第一話
「特命係復活」

一

亀山薫は悪夢にうなされて、跳び起きた。

首筋に寝汗が浮いている。嫌な夢だった。大学時代の親友、浅倉禄郎が処刑される夢を見たのだ。

薫よりもずっと成績のよかった浅倉は法学部卒業後、検事の道を歩んだにもかかわらず、殺人という大罪に手を染めてしまった。女性ばかりを狙った連続殺人――残虐非道な手口から「平成の切り裂きジャック」と世間を騒がせたスキャンダラスな事件だった。浅倉は少年時代、母親が娼婦であることを知った。それが彼のトラウマとなったようだ。自らの手で秘密裏に産みの親を殺《あや》めて以来、母と同じ過ちを重ねる女性を見逃せなくなってしまったという。

連続殺人事件の犠牲者は、無自覚に身体を売るＯＬや主婦ばかりだった。浅倉が彼女たちを許せなかったのは条件反射のようなものだ、と薫は思う。己の力ではどうにも抑制できない心の衝動なのだろう。一種の病気と言ってもよい。とはいえ、どんな事情があろうとも殺人が正当化できるはずもない。なんとか情状酌量を、という薫の願いは届かず、浅倉禄郎は一週間前に死刑の判決を受けたのだった。薫の悪夢にはそのような背景があったわけだ。

「どうしたの、薫ちゃん?」

隣で眠っていた恋人の奥寺美和子も目を覚ましたらしい。心配して声をかけてきた。

薫と美和子は大学時代からの仲である。だから、美和子も浅倉のことをよく知ってい
る。青春の日々、三人でしばしば将来の夢を語り合ったものだった。それだけに薫は、
美和子に夢の内容を伝えるのがためらわれた。

「ああ……ちょっと、な」

薫が言いよどんでいると、ベッドサイドのテーブルに置いてあった携帯電話の着信音が鳴った。壁の掛け時計に目をやる。深夜一時である。こんな時間になんだろう。薫は怪訝に思いながら、携帯電話を手元に引き寄せた。非通知設定という文字がディスプレイに浮かんでいる。

「誰?」

不安そうに訊いてくる美和子に対して肩をすくめると、通話ボタンを押す。

――亀山か? 俺だ。

電話の向こうから、苦しげな声が聞こえてきた。薫の顔が一瞬にして青ざめる。

「おまえ……」

かろうじて、そう返すのが精いっぱいだった。

——亡霊からだと思ったか。亀山、おまえに頼みがある。実は……。

途切れ途切れに語られる内容を聞き取った薫は、通話を終えたあとも、しばし放心していた。美和子が無言のまま、問いかけるような目を向けている。

「浅倉からだった。助けてくれって……」

自分の口から出てきたことばが、薫には悪夢の内容を正直に伝えるよりも嘘っぽく聞こえるのだった。


薫は美和子と一緒に某医療施設へ向かった。近くでは深夜にもかかわらず検問が行なわれていた。薫は素知らぬ顔でやり過ごすと、制服警官や刑事、刑務官などでごった返す建物の中に入った。

「こんなところでなにをやっているんだ？」

見とがめた制服警官が薫と美和子を呼び止めた。すかさず薫が、警察バッヂと身分証票というスタイルになった警察手帳を取り出す。

「ご苦労さん。まだ見つからないの？」

美和子も調子を合わせた。

「ご苦労さまです」

とっさの作戦は的中し、ふたりは正式な捜査員と間違えられたようだった。警官はかしこまってお辞儀をすると、「ええ、いまのところ行方不明です」と答えた。

「じゃあ、こっちは俺らが捜すから、向こうを頼む」

薫のことばを真に受けた警官が立ち去るのを見届けてから、ふたりはボイラー室を目指して施設内を走り回った。ボイラー室は地下の奥まった場所にあった。鉄の扉を開けた先には闇が広がっている。そろそろと足を踏み入れた薫は闇の向こうに呼びかけた。

「浅倉、いるのか？」

「ここだ」

非常灯のあたりから押し殺したような声が返ってきた。暗がりを照らした薫の懐中電灯が、ふたつの瞳をとらえた。鈍い光を反射している。

「遅かったじゃないか。待ちくたびれたぞ」

コンクリート製の床にぺたんと尻餅をついた浅倉が弱々しい声で言った。頬には薄笑いが張り付いているが、額には脂汗が浮いている。

「この野郎、どういうつもりだ」

薫の怒りが噴出する。手術着を身に着けた浅倉の胸元を引っ張って立たせると、壁に押し付けた。すると、たちまち浅倉の顔が歪んだ。

「待ってくれ。腹を切られたばかりなんだ。正直、この体勢はつらい」

見ると、浅倉の着衣は腹部が血で染まっていた。美和子が声を上げる。

「浅倉さん、そのけが、どうしたの?」

「独房の中で釘を飲んだ。こうでもしないと、外部と接触できないからな。苦肉の策だ」

東京拘置所の独居房で大量の釘を飲んだ浅倉は吐血し、所内の医務課では処置できずに近くの救急病院にかつぎ込まれたのだった。釘の摘出手術を受けた死刑囚は、看護師のいなくなった隙を狙って病室から逃げ出した。そして、見張りの刑務官を殴り倒して携帯電話を奪うと、ここへ逃げ込んで、薫に連絡をとったのだった。

「で、杉下右京はいつ来るんだ?」

腹を両手で押さえつつ、浅倉が尋ねた。この元検事は、以前薫の相棒であった変わり者の警部に会いたい、と強奪した携帯電話で申し出たのだった。

「右京さんは来られない」

薫のぶっきら棒な答えを、美和子が補足した。

「右京さんは日本にはいないの。いま休職中で、イギリスに行っているわ」

「なんで、右京さんに会いたいんだ?」

「話したいことがある」

苦痛をこらえるようにして、浅倉が訴えた。

「ならば、俺が聞く」と、薫。「右京さんには俺からきちんと伝える。だから、はやく話して、部屋に戻れ」

死刑囚はかぶりを振ると、大きく息を吐きながら、

「なあ、ここからうまく連れ出して、逃がしてくれないか？」

突然猫なで声で浅倉がすがりついた。その要求は到底受け入れられるものではない。

薫は顔を曇らせ、かつて親友だった男を睨み付けた。正気なのだろうか。

「冗談だよ」まるで万引きの現場を見つかった少年のように、浅倉が観念した表情になる。理性を取り戻したようにてきぱきと、「なにか、書くものがあるか？」

「ええ、これでいい？」

美和子がハンドバッグからルーズリーフ式の手帳を手渡すと、浅倉は未使用のページを開き、ボールペンでなにかを書き付けた。女性の名前と思われた。

「小暮ひとみ？」

「おまえたちは俺に死刑の判決が下ったときに法廷に来ていただろう。あのとき傍聴席の最後列にいた女だ」

「その女がどうしたんだ？」

薫が戸惑った顔で質問した。確かに薫も美和子と一緒に傍聴していたが、そんな女性には覚えがなかった。

「その女を捕まえてほしい。罪状は殺人だ」

「杉下右京ならば必ず捕まえられる」

「え？」

「この女が人を殺したっていうのか？」

「お宮入りした事件だ。平成十年、東亜薬科大学で起きた殺人事件……」

美和子が記憶を探った。

「確か教授が殺された？」

「毒殺された事件だ」

「その犯人がこいつだっていうのか」薫が確認する。「だけど、お宮入りした事件だろ？」

「ああ、だから証拠はなにもない」

「だったら、なんで犯人だとわかる？」

なんてつまらない質問をするのだろう、と嘲るような顔で浅倉が笑う。

「わかるさ。同じ臭いがするからな」

「臭い？」

「殺人鬼の香り。染み込んで消えない汚れた臭いだ」浅倉がぞっとするような笑みを浮かべた。「俺はあの事件を担当したときに、話を聞くために小暮ひとみを東京地検へ呼んだことがある。そのときに確信したんだ。この女が毒を盛ったんだ、とな」

「浅倉さんの勘違いという可能性はないの？」美和子は信じられない思いで訊いた。

「あなたの心証に過ぎないわけでしょ？」

「間違いない。あの女、俺の死刑判決を聞くと、薄笑いを浮かべたまま『さ・よ・な・ら』と言いやがった。声には出さなかったが、唇の動きでわかったよ。杉下右京ならばあの女を……」

そのときボイラー室のドアが開いて、慌ただしい靴音が聞こえた。

「おい、そんなところでなにをやっている？」

懐中電灯の明かりが見つかったようだった。先ほどとは別の制服警官が駆けつけてきた。

「浅倉、ここにいたのか！　おまえたちは誰だ？」

警官は脱走した死刑囚を確認したあと、薫と美和子に質問した。薫は警察手帳を取り出して、掲げてみせる。警官は疑いもせずに軽く頭を下げ、浅倉を問い質す。

「ふざけるな。逃げられると思ったのか？」

警官は浅倉を乱暴に引き起こした。

「逃げようなんて思ってたら、こんなところで油を売っていないさ」浅倉は自嘲気味に鼻を鳴らすと、刑務官から奪った携帯電話を手に取った。「ああ、これ、ありがとう。助かったよ」

応援の警官が駆けつけ、浅倉を連行しようとした。浅倉は薫のほうを振り返り、声を殺して言った。

「亀山、小暮ひとみだ。杉下右京に伝えろ」

すがるような目をかつての親友に向けたまま、死刑囚は連れ去られた。

二

亀山薫はため息をついた。

なんど電話の呼び出し音を鳴らしても、相手が一向に受話器を取り上げてくれないのだ。あまりに何度も電話をかけているので、職場の上司の目に留まったようだ。その目は険を含んでいた。

「亀山くん、いったいどこに電話してんの？」

まさか国際電話です、とは言えない。薫が適当にごまかしていると、上司は、「もう時間だよ」とせきたてた。

薫は慌てて準備を整えると、運転免許試験の会場へ急いだ。今日は試験監督の担当になっていたのだ。

警視庁の特命係が廃止され、薫は運転免許試験場へと異動になった。元の上司だった杉下右京は警察学校の教官となったが、現在は休職してイギリスを旅行中だった。薫は浅倉の頼みを無視できず、右京に連絡を取ろうとしていた。しかし、一昨日からたびたび電話をしているのに、通じないのだ。せめて留守電機能があれば、伝言を残せるのに。試験監督などという、行動派の性格にはおよそ向いていない仕事にうんざりしながら、薫はそんなことを考えていた。

結局、勤務時間中には電話はつながらなかった。定時に仕事を終えた薫がマンションのリビングでくつろいでいると、同居人が帰ってきた。

「右京さんに連絡とれた？」

期待を込めて訊く美和子に、薫はつまらないジョークで返す。

「全然だめ。百回くらいかけたんだけどな」

「おおげさな。でも、なにやってんだろうね、右京さん。はい、これ、調べてみた」

美和子が数枚の紙を薫に手渡す。浅倉が言っていた大学教授毒殺事件の当時の新聞記事をコピーしたものだった。帝都新聞の社会部の記者である美和子には、昔の記事を探ることなどお手の物なのだろう。

薫はソファに腰掛け、コピーを広げた。最初に写真に目が行く。被害者は丸山卓司教授。新聞写真を複写しているため画質は粗いが、五十年配の精悍な感じの男性であった。続いて記事に目を通していると、家の電話が鳴った。コピーを手にしたまま受話器を取る。なんと、ずっと捕まえたかった相手からだった。聞き慣れた落ち着き払った声が薫の鼓膜をゆする。

――もしもし、亀山くんですか？

「あ、右京さん！」

――久しぶりですね。

「はい……お久しぶりです！」

伝言を残したわけでもないのに、計ったようなタイミングで話したかった当人から電話がくるなんて。薫が奇遇に感心し、それを伝えようとすると、元の上司が冷静な声で問わず語りをはじめた。

――実は、ぼくの借りている部屋の向かいにひどく気難しい老婆がいましてね。いましがた部屋に戻ってくると、その老婆が怒鳴り込んできました。

「は？」

――『ここ数日来、深夜だろうが早朝だろうがお構いなく、のべつまくなしに電話を鳴らしているバカ者がいる。非常識にもほどがある。おかげであたしは気が狂いそうだ。一体どうしてくれるんだ』と、すごい剣幕でまくしたてて帰ったのですが、ひょっとして、その非常識なバカ者はきみではないかと思って、電話をしました。

なるほどそういうことか。奇遇でもなんでもなかったのだ。薫が自分の思慮不足に思い至って顔を赤らめていると、着替えを終えた美和子がリビングに戻ってきた。送話口を手でふさぎ、「右京さんから」と小声で知らせると、好奇心に満ちた目をして駆け寄ってくる。再び受話口を耳に当てる。

――もしもし、聞こえてますか？

「はい、聞こえてますよ」

――もしも誤解だったならば謝ります。しかし、時差への配慮もなく、しつこく電話を寄越すような知人は、きみしか思い浮かばなかったものですからねえ。で、きみですか？

「はいはい、ご推察のとおり。そのバカ、俺です。すみませんでした！」

――やはり、きみでしたか。で、なんでしょう？　なにかぼくに用事なのではありませんか？

薫は突然不機嫌になった。久しぶりだというのに、相手の健康や近況を気遣うでもなく、いきなりねちねちと非難するような物言いで語りかけてくるとは。もちろん、右京の指摘は当たっているのだが、ふて腐れたくもなる。

「いえ、別に。たいした用事じゃありませんよ」

――そうですか。しかし、たいした用事でもないのに、電話のベルを六百三十七回も鳴らしますか？

「六百……？」

——老婆が数えていたそうです。

それが事実だとしても、わざわざ本人に伝える必要はないだろう。薫はむっとした。

「しまった、電話かけっぱなしでトイレに行ったりしてたんだ。いやね、なにかと忙しくて。ははは……そのお婆さんによろしくお伝えください。ホント、たいした用事じゃないんで、帰国されたらお話ししますから」

怪訝に思った美和子が受話器を奪い取ろうとする。薫は美和子を肘で押しやって、

「ちなみに、いつごろお帰りの予定ですか？」

——気が向いたら帰ろうと思っています。

「そうですかあ、羨ましい限りです。じゃ、気が向いて帰国したら、ご連絡ください」

薫は「お元気で。さようなら」と送話口に吹き込むと、一方的に電話を切った。ただちに美和子が詰め寄ってくる。

「なんで切っちゃうわけ？　せっかく向こうからかかってきたのに！」

「相変わらず、慇懃無礼で失礼千万。もう、頭にきた」

薫はソファに戻り、そっぽを向く。

「だけど、いつ帰ってくるのかわかんないんでしょ？　それじゃ困るでしょ？　右京さんにきちんと伝えるって、浅倉さんと約束したじゃない！」

「そもそもさ」薫が反撃に転じた。「なんで浅倉は右京さんを頼るわけ？　この俺を差

し置いてさ！」

美和子はこれ見よがしにため息をついた。

「そのわけ知りたい？　知りたいんだったら教えてあげるよ。簡単だよ」

出方を間違った、と薫は即座に反省した。

「いや……いや、いい。わかってるよ。そんな理由くらい。誰だって、右京さんを頼るさ……」

大きくひとつうなずいた美和子は、受話器を取り上げた。それを薫のほうへ突き出して、

「だったら、ほら！　かけなさいよ。また、どっかに行っちゃうよ」

美和子の危惧は的中した。しぶしぶ国際電話のダイヤルを回した薫の耳に入ってくるのは、呼び出し音ばかりだった。二十回ほど鳴らしたところで、あきらめる。また老婆を怒らせることになりそうな気がしたのである。

「だから、言わんこっちゃない」美和子が責め立てる。「短気は損気って、いつも言ってるでしょ！」

返すことばを失った薫は、新聞記事のコピーを手に取って、恋人の怒りの矛先をかわした。

「よし、俺がなんとかする。でも、もう少し、事件の情報があればなあ……」

「当時の捜査資料とかないの？」

「無理だよ。二係が管理してっから。ま、一応継続捜査になってるヤマだからな。実際には、捜査なんかしちゃいねえだろうけど。でも、これは手に入れたぞ」

薫がおもむろに上着のポケットから紙切れを取り出した。

「なに？」

「小暮ひとみの免許証のデータ。こっそり引っ張り出した」

「職権濫用ね」

「へへっ。まだ、大学にいるらしいぞ。大学院に通ってるみたいだ。でも、わかったのはこれだけ。運転免許試験場でできることは限られるよな」

美和子が腕組みして、渋い顔になった。

「もっと詳しい話を浅倉さんから聞けるといいんだけどね」

「なにしろ面会できないからな」

そうぼやきながら、なにか手がないかと思案する薫だった。

翌日、薫は武藤法律事務所を訪れた。以前とある事件でかかわりができた、武藤かおりという弁護士に相談するためである。その事件で、薫は不名誉にも弁護側の証人として法廷に立たされ、この女性弁護士の優秀さを嫌というほど思い知らされた。武藤かおりならば、浅倉と面会する手立てを思いつくかもしれない。そう踏んだのだ。

パンツスーツ姿のいかにも有能そうな女性弁護士は薫を快く迎え入れると、応接スペースへ通した。薫が用件を切り出すと、話を聞いたかおりが考える顔になった。

「外部交通権に関しては、昔は死刑確定囚のほうが未決拘禁者よりも手厚く保護されていたの。親族はもちろん、友人や支援者たちとも面会できたし、手紙のやりとりも自由だったたっていうわ」

「だけどいまは面会が許されるのは、親族のみでしょ？」薫が嘆く。「俺も浅倉の死刑が確定したとたん面会できなくなりましたから」

かおりが同意してうなずく。

「親族以外は担当弁護士が会えるだけね。その人に頼むのが筋じゃない？」

「ところがいないんですよ、担当弁護士が。浅倉のやつ、なにが気に入らないのか、次々に弁護士を解任しまくってましたから。公判中は一応、国選弁護士がつくにはついていましたけど、そんな状態ですから、とても頼めない。だから先生に、こうしてご相談を」

なにかを考えているようだった武藤かおりの目が突然輝いた。応接テーブルの上に身を乗り出して、ささやく。

「告発しちゃう？」

「告発？」

意味がわからずおうむ返しにする薫の目を見つめ、かおりは真剣な表情になった。

「刑務官に暴行を働いて、携帯電話を奪ったんでしょ？　それって強盗だわ。もう事件化されてる？」

「いや、わざわざしないんじゃないですか。なにしろ相手は死刑囚だし、そんなの時間の……」

薫のことばの続きをかおりが言い当てた。

「むだだって言うんでしょう。でもね、死刑囚だろうとなんだろうと、新たに罪を犯した以上、きちんと裁いて刑を確定しなきゃだめよ。それが法治国家の原則」

薫がかおりの反論の趣旨を汲む。

「つまり、この俺が浅倉を告発するわけですね？」

「そう、それでわたしが浅倉さんの担当弁護士になる。そうすれば、一応連絡ルートは確保できるわ。どうする？」

「やってみましょう」

薫が即決した。

三

東京拘置所を訪れた武藤かおりは、いつになく緊張していた。仕事柄何度も訪れた場所ではあるが、面会相手が稀代の殺人鬼とあっては、平常心を保つのは難しい。面会室で表情を強張らせて待っていると、ガラスで仕切られた向こう側のドアが静かに開いた。刑務官に連れられて入ってきた死刑囚は、打ちひしがれたようすもなく、知性を感じさせる瞳でかおりを観察した。かおりは刑務官に退室を要求し、ガラス越しの至近距離で浅倉と向き合った。

「武藤です。よろしく」

声が震えていなかったので女性弁護士が安堵していると、浅倉がにやりと笑った。

「きみの入れ知恵だな。亀山がこんな粋なことを思いつくはずがない」

「犯行についてはすべて否認してね。そうすれば裁判が長引くから」

浅倉は小馬鹿にしたような表情でこちらを見ている。わかりきったことを言うな、という意味だと理解する。その態度で面会相手の思考力が正常だと確認したかおりは、余計な手間を省いて本題に入った。

「オッケー。平成十年の大学教授毒殺事件について、詳しく話してもらえない？」

記憶の引き出しから取り出した書類を読み上げるような正確な口調で、浅倉が語りはじめる。

「殺されたのは生薬科学教室の教授、丸山卓司。第一発見者は丸山教室の助手だった。教授室を訪れると、丸山教授が机に突っ伏すように倒れていたんだ。室内に不審な点はなかったそうだ。遺体にも損傷はなかった。解剖結果も特別不審な点はなかったそうだが、場所が場所だけに念のため薬物検査を行なった」

「そしたら、薬物が出たのね？」

「アトロピンだった。主にナス科の植物が持つ毒成分だ」

「大学関係者なら簡単に手に入れられるはずよね。自殺の可能性はなかったの？」

「むろんそれも検討されたが、教授が自殺を図る理由は見当たらなかった。遺書も発見されなかった」

俄然興味が湧いてきたかおりは、たたみかけるように質問する。

「犯行の手口は？　犯人はどうやって教授を毒殺したの？」

「教授は栄養剤を常用していた。おそらくそれに毒入りカプセルを紛れ込ませたんだろう。遺体に注射痕はなかった。睡眠薬も検出されていない。ということは、致死量の毒物を教授の体内に入れる方法はそれしか思いつかない」

目の前の男の話しぶりは理性的かつ論理的で、とても連続殺人鬼を相手にしているとは思えなかった。いまこの瞬間は、有能な検事だった頃の人格に戻っているのだろう。

「なるほど」かおりが軽くうなずいた。「そういう見込みで毒殺事件として捜査を進めてきたけれど、結局、被疑者らしい被疑者は挙がらなかったわけね」

リラックスしたのか、浅倉がゆっくりと立ち上がった。狭い面会室の中を右へ左へ移動しながら、話を続ける。

「教授と接点のある人間は片っ端から調べたが、決定的なものはなにも見つからなかった。疑おうと思えば誰でも疑える。毒入りのカプセルを作ることなど造作ないし、それを教授のピルケースに忍ばせるのも難しくはない。怨恨その他、個人的な人間関係も洗ったが、決定打は出なかった。だから、お宮入りさ」

「なのにどうして、小暮ひとみなの?」

弁護士が核心をつく質問を放つと、ここまで沈着な検事の顔に戻っていた浅倉の表情が一変した。殺人鬼の形相が浮かび出たのだ。

「だから言ったろう? 臭いさ」

浅倉に凝視され、かおりは突然胸が苦しくなった。

同じ頃、警視庁捜査一課の伊丹憲一と三浦信輔はハンカチで鼻を押さえていた。都内の神崎町に建つマンションで、死後数カ月は経過している男性の腐乱死体が見つかったのだ。異臭のたち込める室内で原形をとどめていない遺体と対面しながら、刑事なんてまったく因果な商売だと伊丹は感じていた。

所轄署の若い刑事が遺体の遺留品の名刺を発見した。

「たぶんこれが、遺体の身許じゃないでしょうか」

三浦がそれを読み上げた。

「日本アーバン建設常務、佐川昭彦」

「ん？」伊丹が聞きとがめる。「捜索願が出てたゼネコン幹部じゃないか？」

「ああ……そういえば、あったな。やっぱり死んでいたのか」

「病死か、事故死か、それとも殺しか？　おまえさん、どう思う？」

伊丹に訊かれた若い刑事はいまにももどしそうな顔で、首を左右に振った。

「だよな。これじゃあ見当もつかねえ。解剖の結果次第だ」


やはり、同じ頃、薫は運転免許試験場の上司に休暇を願い出ていた。

上司の顔が意地悪な笑みで歪む。

「一週間の休暇ねえ。結構なご身分だこと。なんなら、もっとずーっと取ってもいいよ」

「いやいや、ずっとは……申し訳ございません」

薫が恐縮してお辞儀をすると、上司が窓の外を指し示した。

「ところでさ、あの黒縁眼鏡の人、友だち？　さっきからきみを見てるみたいだけど」

「は？」

薫は示されたほうに目をやって、驚いた。特命係にいたとき、よく小部屋に油を売りにやってきていた薬物対策課長の角田《かくた》六郎がこちらをのぞいているではないか。薫が駆け寄ると、角田が相好を崩した。

「久しぶりだな！」

「ああ、どうも、お久しぶりです」

「元気そうじゃないの」

どうして角田がここに？　薫がいぶかりながら愛想笑いを浮かべると、角田がおずおずと申し立てた。

「おまえが特命係にいた頃、俺は同じ生活安全部のよしみで、結構おまえの力になってやったような気がする。少なくとも話し相手にはなってやったろ？　それがどれだけおまえの心を和ませたことか」

どちらかというと角田の暇つぶしにこちらが付き合ってあげていたというほうが正しい気がしたが、とりあえず薫は同意した。

「ええ、まあ。それでご用件は？」

角田が薫との間を詰めて、耳元でささやく。

「運転免許試験場に来たんだから、用件は想像がつくだろ！」

「あ、違反したんですね。スピード？　駐禁？」

いきなりはやし立てる薫に向かって、声をひそめて角田が言う。

「シートベルトだよ！」

「ダセッ！　講習、受けてくださいね」

「いや、ちょっと待てよ。だから、そこをなんとかしてもらいたくて、わざわざ来たんじゃないかよ」

おおげさに嘆いてみせる角田を見やりつつ、薫は突如職業意識に目覚めた。

「そんなズルはだめですよ。ちゃんと受けてください」

「つれないことを言うなよ。おまえと俺の仲じゃないか！」

どんな仲だよと苦笑しながら、薫が引導を渡した。

「ダーメッ！　じゃ、先を急ぎますんで」

四

休暇を取った薫は、さっそく翌日小暮ひとみの自宅へ行ってみた。自分なりに調べてみようと考えたのである。

住所を知るのには運転免許証のデータが役立った。その住所表示の番地を訪ねて、薫は仰天した。小暮家がこの付近ではあまり見かけないほどの豪邸だったからだ。相当な資産家のようだ。感心しながら門の前で張り込んでいると、免許証の写真で見覚えのある女性が姿を現わした。小暮ひとみである。

意志の強そうなしっかりした面立ちだった。決然として迷いのない歩き方にも、彼女の内面の強さがにじみ出ているようだ。大股で歩くたびに、ポニーテイルにまとめた髪が上下に揺れるのが小気味いい。

気取られないように間隔を空けてつけていく。ひとみの行き先は予想どおり東亜薬科大学であった。大学という場所はオープンであり、いろんな人間が出入りしているので、追跡には都合がいい。ひとみは構内のカフェテラスで資料調べかなにかをすることに決めたようだった。外のテーブル席で冊子をめくっている。薫は植樹されたケヤキにもたれかかって煙草を吸うふりをしながら、そのようすを観察した。

何本の煙草を煙にしただろうか。喉がいがらっぽくなって、吸いさしを携帯用灰皿に押し付ける。そしてふと顔を上げた薫は、我が目を疑った。小暮ひとみのテーブルに近づいていくスーツ姿の男……あれは杉下右京ではないか！　すんでのところでことばを飲み込み、右京の動きを見守る。

右京は迷いなくひとみに近づくと、会釈をしてなにかを質問している。ひとみが右手を上げて、どこか遠くのほうを指差した。どうやら右京はなにかの場所を尋ねたようだった。

なおも何度かやりとりがあったあと、ひとみが微笑みながら立ち上がった。そのまま先ほど自らが示した方向へ歩いていく。右京は小さく礼をすると、その後ろに従った。ひとみが案内を買って出たという図に見える。

薫はそのあとからそっとつけて行った。ふたりはときおり会話を交わしながら、建物のある一画を通りすぎていく。学生の姿が少なくなった。さらに歩き、前方に立派な温室が見えてきた。「薬用植物園」という表示がかかっている。ひとみがドアを開けて中に入ると、右京も続いて入っていく。薫は外で待つことにした。

しばらく物陰に隠れていると、ひとみがひとりで出てきた。さっきに比べて、顔が曇っているように見える。なおも煙草を吸いながら時間をつぶしていると、ようやく右京が出てきた。考えごとに没頭しているのか、ろくに周囲に注意を払っていない。薫は右京の背後に忍び寄り、大声を出した。

「右京さん！」

なにかにつけて目端の利く右京も、まさかここで呼び止められるとは予想していなかったようだ。びくっと身体を震わせて、振り返った。しかし、相手が薫だと見て取ると、すぐに態勢を整えた。

「やあ、きみでしたか。こんなところで会うとは驚きました」

「驚いたのはこっちですよ。なにやってんすか、こんなところで?」

「いや、なに、美和子さんからメールをもらいましてね」

「え、美和子からですか?」

「はい。小暮ひとみを調べるように浅倉さんから要請があったそうですね。そのメールでおおよそのいきさつはわかりました。だから、まず本人に直接会ってみようと思ったわけです」

「なんでここへ?」

薫は温室のほうへ顎を振って訊いた。

「丸山教授の毒殺に使われた植物を知りたかったので、彼女に案内してもらったんです」

「よく疑われませんでしたね」

「大学院の博士課程で勉強中だと言っていました。なかなか優秀な女性のようですよ」

「それで、その植物はわかったんですか?」

「ミステリーを書く参考にしたいと言うと、彼女は快くベラドンナの花が植わった場所まで連れて行ってくれましたよ」

「ベラドンナ……ですか?」

「ええ。美しい淑女という意味を持つナス科の植物です。ベラドンナの毒成分アトロピンは、鎮痛剤、催眠剤、瞳孔拡大剤、鼻炎薬などにも使われます。使い方次第で毒にも薬にもなる植物です」

「なるほど……それにしたって、帰ってきたならきたで、連絡ぐらいくれたっていいじゃないですか」

薫が不平を漏らすと、右京がしれっと受け流した。

「連絡しようと思っていたら、きみがこうしてひょっこり現われたものですから」

「どっちがひょっこりですか！」


一旦右京と別れた薫は、夜、右京の行きつけの小料理屋〈花の里〉に出向いた。

この店の女将、宮部たまきは右京の別れた妻だった。そんな事情もあり、右京の留守中にひとりで訪れるのはなんとなく気が引け、しばらく足が遠ざかっていた。久々に暖簾をくぐった薫を、たまきが笑顔で迎えてくれる。

「亀山さん、お久しぶりね」

「すみません。すっかりご無沙汰しちゃって」

右京はすでに定位置であるカウンターの隅っこに陣取っており、ひとりで猪口を口に運んでいる。薫はそそくさと隣の席に座ると、自分も熱燗を注文した。

「右京さん、イギリスでなにやってたんですか？」

「風の向くまま、気の向くままです。あちこち見て歩いてました。ベイカー街の偉大な探偵像に表敬訪問したり、キングズクロス駅で『9と4分の3番線』のプラットホームを捜したり」

薫が首をかしげていると、たまきが興味を示した。

「それって、ホグワーツ特急の始発ホームでしょう？　本当にあるの？」

「ブームになったので、標識だけつけられたんですよ」

薫がさっぱりわからないという顔をしていると、たまきがカウンターの内側から酌をしながら、小声で教えてくれる。

「ハリー・ポッターよ」

その夜は右京の英国話に花が咲き、薫は久しぶりに美味しい酒を楽しんだ。そして、ほろ酔い気分のままマンションに帰ると、美和子が待ち構えていた。薫が右京と会ってきた話をすると、美和子は一瞬申し訳なさそうな顔になった。しかし、すぐに元の顔に戻って、手柄を披露する。

「ねえねえ、聞いて。スクープがあるの」

「なんだよ？」

薫が応じると、美和子がデジカメで撮影したと思われる写真のプリントアウトを目の前に掲げた。白髪の紳士と若い女性が腕を組んで写っている。場所はアパレルショップだろうか。たくさんの婦人服に囲まれて満面の笑みを浮かべている若い女性は、間違いなく小暮ひとみのようだった。

「どうしたんだ、この写真？」

「わたしも小暮ひとみを調べてみようと思ってさ、ちょっとあとをつけてみたのよ。そしたら、こんな場面に遭遇したわけ。ずばり、不倫と見たね」

「そうかなあ？　父親かもしれないぞ。こういうふうに仲のいい親子、いるだろ？　それとも不倫の関係って証拠、なんかあんのかよ？」

難癖をつけているような恋人の発言に美和子が苛立つ。

「父親か恋人かなんて、見たらわかるわよ。わかった、怒ってるんでしょ？」

「なんのこと？」

「勝手にメール出して悪かったわよ。だけど右京さんのことだから、パソコンぐらい持ってってるかな、と思って試しに……」

薫が美和子の弁明を遮る。

「メールは構いませんよ。問題は文面！」

右京からもらったメールの控えを取り出して、末尾の部分を読み上げた。

「『PS、うちの亀山くんがひとりでも真相を暴いてみせると息巻いておりますが、それはどだい無理な話です。取り返しのつかないヘマをしでかす前に、どうか帰国なさってください。お待ちしています。かしこ』って。書くか、こんなこと？」

神妙な顔つきになって、美和子が頭を下げる。しかし、薫の怒りは収まらない。

「状況を知らせればいいだけなのに、こんな追伸は必要ないだろう」

「だって、少しは危機感をあおったほうがいいかなと思ったのよ。でも、おかげで右京さんが帰ってきたんだから、いいじゃない」

美和子が開き直ると、薫は憮然としてそっぽを向いた。

五

休職中の右京と休暇中の薫は、翌日から一緒に小暮ひとみを調べる約束をしていた。

「いいんですか、右京さん。警察学校に復職しなくても」

「復職したら、先生にならなければなりません。そうしたら、事件を調べられなくなってしまいます。きみこそ、休暇をこんなことに使っていいんですか？」

「構いませんよ。運転免許試験場の上司からはずーっと休んでもいいなんて、言われちゃいましたけど」

ふたりがオープンエアのカフェでそんなことを言い合っているところへ、待ち人がやってきた。いつもは鑑識の制服を着ているのに、今日は背広姿なので印象が異なるが、ぽっちゃりとした坊ちゃん刈りの顔を見たら、間違えるはずはない。鑑識課の米沢守だった。右京が親しげに声をかけた。

「どうも、お久しぶりです。お呼び立てしてすみません」

米沢も嬉しそうに返す。

「いえいえ、こちらこそ、お久しぶりです」

「どうぞどうぞ」

薫が立ち上がり空いた席を勧めると、米沢は「元気そうですね」と笑った。

米沢が着席したところで、右京が上着の内ポケットから写真を取り出した。昨日美和子が盗み撮りした小暮ひとみの父親とは考えてはいなかった。昨夜は美和子の意見に異を唱えたものの、薫も写真の男がひとみの父親とは考えてはいなかった。それで写真を右京に見せたところ、米沢に協力を求めようと話がまとまったのだった。

「さっそくですが、この写真を見てください。そこに写っている女性についてはわかっています。男性のほうの身許を知りたいんですよ」

米沢が写真を受け取り、つぶさに観察した。

「ほほう。しかし、私は存じ上げない方のようですが」

「そりゃあそうでしょうね」薫が口をはさんだ。「要するに、調べてほしいわけです」

「調べる？」

当惑顔になった米沢にヒントを与えるように、右京が写真の一部を指差した。

「ほら、ここです」

「どこどこ?」

米沢はポケットからルーペを取り出すと、右京が指差した男の背広の襟の部分に当てた。

「なるほど、社章のようですね。これを私に調べろという意味ですね?」

米沢が問うと、右京が共犯者めいた微笑を浮かべた。

優秀な鑑識員である米沢にとって、写真を調べるくらいわけのないことだった。すぐに職場に戻り、画像を拡大処理すると、社章に記された文字が読み取れた。

「トラスト・インターナショナル・トレーディングか……」

米沢から電話で報告を受けた右京と薫は、すぐにトラスト国際交易の本社ビルへ向かった。

「なんか浮気調査をしているみたいですね、俺たち」

「何者か知りたいじゃありませんか」

堂々とした威容を誇る大手商社の自社ビルが近づいてきた。ちょうど昼休みの時間帯で、従業員が三々五々ビルから出てくる。その中に、人のよさそうなショートヘアとロングヘアのOLコンビがいた。

「あ、すみません」薫がそのコンビを呼び止め、例の写真を見せる。「男性に見覚えありません？　この会社の人のようなんですけど」

「え、専務……だよね？」

物怖じしなさそうなショートヘアのほうが言うと、慎重そうなロングヘアはたしなめるような目を同僚に向けながらもうなずいた。

「はい。真鍋専務です」

薫はふたりに礼を述べて、右京に向き直る。

「専務ですって。重役ですよ」

「少なくとも彼女の父親ではないことは判明しましたね」

「やっぱり不倫でしょうかね？」

「さあ、どうでしょう。専務は独身かもしれません」

「なるほど、右京さんみたいにバツイチのやもめ暮らしかもしれないですしね」右京の顔が強張ったのを見て取った薫は、すぐに話題を変えた。「でも、いきなり行って、重役さんが会ってくれますかね？　警察って名乗ります？」

「それはよしましょう。大丈夫です。きっと、会ってくれますよ」

右京はそう請け合うと、すたすたと本社ビルの中に入っていく。そしてためらいもせずに、受付に近づいていった。

「恐れ入ります。真鍋専務にお目にかかりたいのですが……」

なにか秘策があるのかと期待した薫は、右京が正直にそう言うのを聞いて、少々がっかりした。受付嬢が会釈しながら、問い返す。

「真鍋でございますか。失礼ですが……？」

「小暮と申します」右京がいけしゃあしゃあと偽名を名乗る。「約束はしておりませんが、大事なお話があるので、時間があればぜひお会いしたい。そうお伝えいただけませんか？」

なるほどその手があったか。薫が納得していると、内線を取り次いだ受付嬢が「応接スペースでお待ちくださいとのことです」と言った。

休み時間で他に誰も客がいない応接スペースでふたりが待っていると、まもなく写真の男性が姿を現わした。真鍋はロマンスグレーの頭が印象的な整った顔立ちをしていた。右京が申し訳なさそうに身分を明かすと、真鍋はあからさまに不機嫌になった。

「不愉快ですね、まったく。偽名を使うなんて、まるで騙し討ちじゃないですか」

「警察関係者であると名乗るのははばかられたものですから」

右京が悪びれずに告白した。真鍋が覚悟を決めて向き直る。

「で、警察の方々がぼくにいったいなんの用事だろう？　できれば手短に願いたい。小暮ひとみのことですか？」

薫は攻め込むタイミングを見計らっていた。専務の目が泳ぎはじめたのを確認し、口を開く。

「彼女とはどういうご関係ですか?」

「なんというか、友人ですよ」

「友人?」

「若い友だちです。いけませんか?」

「あ、いえ、全然。なるほど、若い友だちか……」

薫が思わせぶりに語尾を濁らせると、右京が質問を引き継いだ。

「どちらでお知り合いになったんでしょう?」

「ん?」

「あなたはこのとおり大企業の重役。かたや彼女は学生です。どこでどういうふうにお知り合いになったのか、ちょっと気になります」

「パーティーで知り合ったんですよ。別にいかがわしいパーティーじゃありませんよ」

弁明する真鍋の背広のポケットから、携帯電話の着信音が響いた。「ちょっとすみません」と断って、専務は応接スペースの隅に移動した。

緊急の用事なのだろうか。そんな思いをめぐらせながら、携帯電話で通話している真鍋を漫然とながめている薫の目の前で異変が起こった。真鍋がいきなり苦悶の表情を浮かべたかと思うと、膝から力が抜けるように床に突っ伏したのである。身体が小刻みに痙攣している。ふたりはすぐに駆け寄ったが、真鍋はすでに意識を失っていた。

すぐに一一九番通報した右京と薫は、意識を取り戻すようすのない真鍋とともに救急車に乗り込んで、救急病院へと向かった。車内では救急隊員が懸命に救命措置を講じている。その隙に、右京が真鍋の上着を探ると、ポケットからプラスティック製のピルケースが出てきた。

右京がすぐさま救急隊員に注意を促す。

「薬物中毒の可能性があります」

「薬物?」

「ある種の毒物中毒では瞳孔散大症状が出ます。ニコチン、アトロピン、他にも植物アルカロイドの一種ですが、出るとしたらアトロピンでしょう」

「アトロピンですって?」

「いずれにしても、その旨、病院に連絡して、準備をしておくように伝えてください」

警部の肩書きを持つ人物が真剣に言うのを聞くと、救急隊員も納得せざるをえないようだった。「わかりました」と答えて、病院に連絡した。しかし、せっかくの右京の気転もむだに終わった。真鍋の心臓は数分後、救急車の中でその活動を停止してしまったのである。

沈痛な思いのまま病院で待機していた亀山の耳に、嘲るような声が飛び込んできた。

「おいっ、運転免許試験場の亀山ぁ！」

空耳でありますようにと祈りながら振り返る。祈りは届かず、悪い予感が的中した。伊丹がこちらに向かってくる。同僚の三浦も一緒だった。

「おまえ、まだ生きてたの？」

伊丹が薫に喧嘩を売ると、三浦も負けじと右京に皮肉を言った。

「おやおや警部殿、お久しぶりですね」

「お久しぶりですね」

生真面目に返事する右京を横目で見ながら、薫が伊丹に怒鳴る。

「なにしに来たんだよ！」

「殺しの疑いで解剖が依頼されたとあっちゃあ、来ねえわけにはいかねえだろう。ましてやその依頼主がおまえらとあっちゃな」

「あ、そっか、そりゃご苦労」

殿さまが家臣をねぎらうようなポーズをとって薫が道化てみせると、伊丹が瞬時にいきり立つ。

「なんだ、この野郎！」

ふたりが子どもの喧嘩のような言い合いをしていると、検査室のドアが開いて、技師が姿を現わした。

「結果、出ましたよ。あなたのご指摘のとおりアトロピンです。間違いありません」

「やはりそうですか」

納得してうなずく右京を押しのけるようにして、伊丹が割り込んだ。身分証を呈示しながら、質問する。

「そのアトロピンってのは？」

「植物毒ですよ」

「つまり、毒物中毒死ってこと？」

「ええ。それからピルケースの中のカプセル、残りはすべて栄養剤でした」

「一粒残らずですか？」と、右京。

「はい。ビタミンCとBとE。それだけです」

「ええ」

 六・

　自家用車を運転しながら、薫が右京に自説を語った。

「小暮ひとみは間違いなく真鍋専務と不倫関係にあった。そう思いませんか？」

「ええ」

「丸山教授とも同じような関係にあったんじゃないでしょうか」

「どうしてそう思うのですか？」

右京が問うと、薫の舌が滑らかに回転した。

「ふたりともなかなかハンサムなおじさんです。いわゆるナイスミドルってやつ。要するに、小暮ひとみはオヤジキラーなんですよ。本当にふたりとも死んじゃったわけだから、文字どおりの意味で」

「なるほど。きみらしい斬新な推理ですね」

右京が褒めたので、薫はにんまりする。

「でしょ？」

「確かにふたりの死因はいずれもアトロピン中毒です。非常に珍しい。しかも、ふたりとも小暮ひとみと接点があった。これは単なる偶然とは考えられませんね」

「ですよね。ということは？」

「小暮ひとみから話を聞いてみる必要がありそうですねえ」

「了解しました」

薫は嬉々として、車を小暮家の豪邸へと向けた。

小暮ひとみは不在だった。しかし、門の前に車を停めて待っていると、いくらも経たないうちに帰宅してきた。今日は車で出かけていたようだ。ポニーテイルの女性が門を開けるために運転席から降りてきたところで、右京が声をかけた。

「先日はどうも」

「あなた……ミステリー作家志望の……」

不審そうにふたりを見つめるひとみに、薫が警察手帳を開いて示した。

「申し訳ない。先日はちょっと嘘をつきました」

右京が白状すると、ひとみが腑に落ちたような顔になる。

「おかしいと思った。植物園の位置がわからないほどの極度の方向音痴なんてありえないもの」

その指摘に右京が少し顔を赤らめているのを見て、薫はこの変わり者の元上司がいかに強引な手でひとみに接触したのかを知った。

「ぜひ、あなたとおしゃべりしてみたかったものですからね。すみません」

「で、わたしになにか？」

「真鍋純一郎さんが亡くなりました」

薫が耳打ちしても、ひとみは顔色ひとつ変えるそぶりがない。

「誰ですか、その方？」

ハスキーな声でそう返され、薫は思わずたじろいでしまう。しかし、右京は動じなかった。

「トラスト国際交易の真鍋専務、ご存じだと思うのですがね」

　思わせぶりに言いながら内ポケットから例の隠し撮り写真を引っ張り出すと、ひとみの顔がつかのま凍った。だが、すぐに表情を緩めて、

「参ったなあ、そんな写真を撮られていたなんて。ええ、もちろん知っていますよ。でも、迂闊に知ってるなんて言って、彼に迷惑かけるといけませんから」

「つまり、他人には知られたくない関係ですか？」

　立ち直った薫がかまをかけると、ひとみはきっぱりと「ノーコメント」と言ったあと、思い直したようにふたりを誘った。

「よかったら上がっていきません？　こんなところで彼との関係、根掘り葉掘り聞かれるのは嫌ですから」

　小暮邸に足を踏み入れた薫は、その豪華さに驚いた。外見どおり、いや、それ以上に立派な洋館である。といっても、贅を尽くして飾り立てているというわけではない。居間もそれに隣接する応接間も、ゆったりとした間取りで、天井も高く、堅牢で落ち着いた空間を形作っている。内装や調度の類もシックな色合いにまとめられており、個人宅というよりもホテルを思わせる重厚な印象だった。

　雰囲気に圧倒されないように気を引き締めて、薫が質問した。

「いきなりぶしつけな質問で恐縮ですが、真鍋さんとは俗に言う不倫の関係ですよ

ね？」

「はい、そのとおりです。半年くらい前からの関係でした」

気がとがめたようすなど微塵も感じられない態度に、薫は一瞬ことばにつまった。

「あ……そうそう、パーティーでお知り合いになったとか？」

「ええ、彼が会員になっている親睦団体のパーティーで。わたしはバイトでそこの接待係、いわゆるコンパニオンとして呼ばれたんです」

「なんという親睦団体ですか？」

「七日会、だったかな？」

「七日会……」

薫がひとみに質問している間、右京はソファに腰掛けもせず、室内をじっくりと観察していた。観察というよりも鑑賞と言ったほうが適切かもしれない。この品のよい洋館はイギリスかぶれの元上司のお眼鏡にかなったようだ、と薫は思った。右京はいま、マントルピースの上に並べられた写真に見入っているところだった。

「ここに写っている男性はお父さまですか？」

「ええ」

ひとみの顔がぱっと輝く。

「エジプト、イースター島……これは熱帯のジャングルみたいです。どうやら、世界各国を飛び回っていらっしゃるようですね」

「父は植物学者なんです。仕事でいつも海外へ。昨日からまた行っちゃいました」ひとみが自慢げに語る。「出ると平気で、三月《みつき》や半年帰ってこないんです。かわいい娘をひとりきりにして、とんでもない父親だと思いません？」

右京が意外そうな顔になる。

「この家には、お父さまとおふたりで暮らしていらっしゃるわけですか？」

「母は亡くなりましたから」

つまらなそうにぽつりと言ったひとみに、灸をすえてやろうと薫は考えた。

「不倫なんかしてたら、お父さん泣きますよ」

「言いつけないでくださいね」ひとみがしおらしくなった。「それで、真鍋さんはいつ亡くなったんですか？」

「今日の昼、会社でね」

「そうですか……」

右京の興味はこのときすでに室内から野外に移っていた。

「きれいなお庭ですねえ。拝見してもよろしいですか？」

ひとみはしばし虚をつかれたような表情になったが、すぐさまにっこりと微笑んだ。

そして、立ち上がる。

「もちろん、構いませんよ。どうぞ、ご案内します」

広大な庭はさながら植物園のようだった。さすがに父親が植物学者だけのことはある。しかしながら植物に疎い薫には、色とりどりの花も知らないものばかりだった。

突然右京が足を止めた。紫色の可憐な花に目を落としている。

「これはベラドンナですね」

漫然と庭の植物を見渡していた薫の意識がその花に引き寄せられる。ベラドンナとは確か……。

「ところであなた、死因は気にならないんですか？」

だしぬけに右京が質問した。

「え？」

「真鍋さんの死因です。あなたは先ほど真鍋さんがいつ亡くなったか、お訊きになった。しかし、どうして亡くなったかはお訊きになならなかった。ふつうはとても気になると思うんですけどねえ」

右京の鋭い視線が、ベラドンナの花からひとみの目へと移動した。ひとみはその視線に屈するまいと瞬きもせずに受け止めた。

「訊きませんでしたか？　だったら、いま訊こうっと。死因はなんだったんですか？」

「毒物中毒死でした。アトロピンによるものです」

右京がベラドンナの花を指差すと、薫があとを続ける。

「一般人が簡単に手に入れられるような毒物じゃないので、自殺とは考えにくい。しかも、丸山教授のケースとよく似ているんですよ」

あからさまにあてこすられた植物学者の娘は、冷たい声で吐き捨てた。

「だから？」


警視庁では、伊丹と三浦が刑事部長の内村完爾と参事官の中園照生に報告を終えたところだった。

報告を受けた内村が訊き返す。

「毒物を言い当てた？」

「はい、杉下右京がはっきりとアトロピンによる中毒だと」伊丹が答える。「しかし、検査結果の出る前に毒物を特定するなんて芸当はふつうできません」

「どういうことだ？」

中園が問い質すと、三浦が過去の捜査資料を内村の机の上に差し出した。丸山教授毒殺事件のファイルである。

「これが気になります。平成十年に東亜薬科大学で起きた毒殺事件。使用された毒物は今回同様アトロピンでした。他にはアトロピンによる殺しなんてめったにありません」

眉間にしわを寄せて資料をめくっていた刑事部長が顔を上げた。

「やつらはこれを嗅ぎまわっているというのか?」


右京と薫は、警察庁長官官房室長の小野田公顕を訪問していた。警察組織の中枢にいて厳然たる影響力を持っているこの男こそ、ふたりがかつて所属していた特命係を解散させた張本人である。その後命じられた、元外務省の大立者がかかわった重大事件の捜査がほろ苦い結果に終わってしまったせいもあり、薫はいまもこの警察幹部に心を許せないでいた。薫よりもはるか昔から小野田と因縁のある右京は、もっと複雑な思いを抱いているはずである。それなのに、感情を押し殺して付き合いを続けている。小野田のほうもそれを受け入れているように見える。このふたりの関係は常人にはとても理解が及ばない。薫は心の中で首をかしげていた。

「ちょっと待ってね。真鍋純一郎か……」

小野田は七日会の会員名簿をめくっていた。元特命係のふたりは小暮邸を辞したあと、再びトラスト国際交易本社ビルに戻った。そして亡くなった専務の秘書に頼んで、各界のエグゼクティブの親睦団体である七日会の名簿を見せてもらったところ、その中に小野田の名前を発見したのである。

「あった、真鍋純一郎。でも、思い出さないなあ」小野田が首を振る。「なにしろ会員は五百人以上いますからねえ。全員が顔見知りってわけじゃない。むしろ知らないメンバーのほうが多い」

「だったら、この女性はご存じないですか？」

薫が真鍋とひとみのツーショット写真を手渡す。

「浮気調査でもはじめたの？　まいいや。この男が真鍋純一郎？」

「ええ。女性のほうに見覚えはありませんか？」と、右京。

「パーティーにコンパニオンとして参加していたようなんですけどね」と、薫。

「彼女が真鍋純一郎殺しのホシってことかな？　おまえたちが浮気調査なんてするはずないもんね。でも、知らない。女の子もたくさん来るからね。毎回同じメンバーってわけでもないし」

「そうですか」

がっかりした薫が小野田から写真を受け取っていると、ハンガーにかかった黒い式服を目に留めた右京が質問した。

「どちらかでご不幸でも？」

「ああ、今日ね、お通夜なの。やっと遺骨が戻されたもんで」

「遺骨が戻された？」

「変死体で発見されてね」ここで小野田は思い出したように、「あ、彼も七日会の会員だったな」

「え？」

「知らないかな。行方不明になっていた日本アーバン建設の常務、佐川昭彦」

しばらく日本を離れていた右京はぽかんとしている。薫が記憶を探る。

「ああ、あの神崎町のマンションで発見された人ですか？」

「そう。結局病死だったみたいだけどね」

右京の瞳の底がかすかに光った。

官房室長と別れたあと、右京は佐川昭彦の死について調べようと薫に提案した。真鍋純一郎と同じ親睦団体に属するエグゼクティブの変死体という共通項が、右京の好奇心を刺激したようだった。

佐川の変死を担当した所轄署の担当刑事は、急性心不全で片がついた変死を蒸し返されてあまりいい気はしなかったが、捜査資料を見せることに異存はなかった。この担当刑事の立会いの下、ふたりは所轄署の殺風景な会議室で、捜査資料を調《あらた》べた。

調査開始から五分ほどして、遺留品を撮影した写真のファイルを検めていた右京の手が止まった。

「亀山くん」

別のファイルを調べていた薫が振り返ると、右京は一枚の写真をじっと見ていた。

「あ、ピルケース！」

「この中身は調べましたか？」

右京が事件を担当した刑事に尋ねる。刑事はにこやかに答えた。

「ええ、自殺の可能性も否定できませんでしたからね。でも、関係ありませんでしたよ。三種類の栄養剤。ビタミンCとBとEだったかな」

薫に目くばせした右京の瞳の中の光がひと回り大きくなっていた。

七

翌日、小野田から右京に連絡が入った。以前、一緒に行ったことのある寿司屋で昼飯を食おうという誘いだった。右京は薫を伴って待ち合わせの寿司屋に向かった。

「官房長の寿司屋ってここですか。俺はてっきり築地かと思ったのに」

薫の文句は黙殺された。回転寿司屋のカウンターに右京を中心に並んで腰かけた三人は、しばらくの間は思い思いに寿司をつまんだ。

「実はね、昨夜のお通夜であの女性に会ったよ」

中トロのにぎりをほおばりながら小野田が言うと、ウニを手にした薫が反応した。

「小暮ひとみですか？」

右京は小鰭《こはだ》の皿を引き寄せながら、

「これで佐川常務ともつながったわけですね」

「佐川くんとは何度か食事をしただけだって言ってたけど、ひょっとしたらもっと深い仲だったかもしれないなあ」

「十分考えられますね」

「死因も病死なんかじゃないみたいですよ」

ウニを腹におさめた薫が意味ありげなせりふを口にした。小野田がヒラメを口に運ぶ手を止めて訊く。

「毒殺？」

「ええ」右京は口の中をあがりで洗い流して、「では、行きますか」

慌ててヒラメを喉に押し込んだ小野田は、

「杉下、手ごわいぞ、彼女。なかなか落ちない」

「言われなくてもわかっています」

右京が答えると、小野田が食べた六皿を回転台に載せた。

「前にも言ったはずですが、皿は戻さないように」

いつになく強い口調で注意する右京を見て、薫は思わず茶を噴き出しそうになった。

右京と薫のふたりはその夜、小暮ひとみを再訪した。彼女を自供に追い込むためである。

応接間に通された薫がさっそく攻撃を開始する。

「あなたは日本アーバン建設の佐川常務ともお付き合いなさっていたんじゃありませんか？」

「だとしたらなんですか？」

ひとみはキッチンからティーポットとティーカップを運んできた。

「あなたはトラスト国際交易の真鍋常務ともお付き合いなさっていた。そして、ふたりとも亡くなった」

応接テーブルの上でポットから淹れたての紅茶を注いでいるひとみの顔色はうかがい知れない。右京がゆさぶりをかけた。

「実は、さかのぼって丸山教授とあなたも親しい関係にあったのではないかと邪推しています」

ひとみは顔を上げると、にっこり微笑んでかわす。

「紅茶をどうぞ」

「それじゃあ、いただきます」

カップを口に運ぼうとした薫が横目でのぞくと、右京はカップの中を真剣な眼差しで見つめていた。思わず薫の手が止まる。

「大丈夫ですよ。毒なんて入ってませんから」

それを聞いて、薫はますます飲む気が失せたが、右京は神妙な顔をしてカップの中の液体を啜った。薄笑いを浮かべてそのようすを眺めていたひとみが質問する。

「佐川さんは病気じゃないんですか？」

「明らかな事件性が認められず、かつまた死因がはっきりしない場合、だいたい急性心不全で処理されますからね」

「あなたに近しい関係の三人が亡くなり、少なくともふたりはアトロピンによる毒殺であることが判明している。十分に怪しいでしょ？　疑われてもしかたない、と思いませんか？」

薫が指摘しても、ひとみは崩れ落ちなかった。

「疑うのは勝手ですけど、証拠はあるんですか？　わたしが殺したという証拠です」

そこをつかれると弱い。薫がことばを探していると、右京が立ち上がった。

「あなたはこのぼくに犯行を白状されているんですよ」

「え？」

ひとみがいきなり厳しい顔になる。

「最初にお目にかかったときです。薬用植物園まで案内していただく口実として、ぼくは『丸山教授の毒殺に使われた植物を教えてください』と言いました。すると、あなたはベラドンナのところまで連れて行ってくれましたね？」

ひとみが地雷原を歩く兵士のように慎重にうなずく。

「ええ、それがどうかしましたか？」

「ベラドンナの毒成分はアトロピンです。確かに丸山教授の命を奪ったのはアトロピンだった。しかし、アトロピンを含むナス科の植物は他にもあります。チョウセンアサガオもハシリドコロもそれに該当します。そしてその両種とも、あの植物園には栽培されていました。あなたがいなくなったあと確かめたので、間違いありません。それなのにあなたはなぜ、迷わずベラドンナのところへぼくを導いたのでしょう？」

ひとみは答えなかった。感情を殺して、押し黙っている。

「いまのところその答えはふたつ考えられます。ひとつはあなたが犯人だから」右京が左手の人差し指を立てた。「そしてもうひとつは、あなたが犯人からそれを聞いて知っていたから。しかし、状況から考えて、後者の可能性は極めて低いと言わざるを得ませんね。ぼくはあなたに初めてお目にかかったとき、あなたが犯人だと確信しました。いかがですか、小暮さん？」

「降参……しちゃおうかな。わたしが殺《や》りました。わたしがみんな殺しました」

ひとみの顔に感情が戻っている。しかし反省の色合いよりも悔しさのほうが勝っているようだ。薫の目にはそう映った。

「着替えてきてもいいですか？　警察に行くのにこの恰好じゃちょっと。わたしも女の子なんで」

なにか大切な決心をしたように表情を引き締めて、ひとみは自室のある二階へ上がっていった。

「案外、あっけなかったですね」

ひとみの着替えを待っていた薫が二階を目で示す。

「ええ」右京が顔を曇らせた。「でも、ちょっと遅いですね。行ってみましょう」

頑丈な階段をのぼって二階に着いたふたりだったが、ドアがいくつもあり、どこがひとみの部屋だかわからなかった。薫が声を張り上げる。

「なるべく速やかにお願いしますよ」

返事がない。右京は青ざめていた。

「亀山くん、彼女を捜してください。一刻もはやく！」

たちどころに事態を理解した薫が目の前のドアに向かっていく。右京はその隣のドアへ急いだ。

「右京さん！」

小暮ひとみを見つけたのは薫だった。右京が合流すると、ひとみは浴室で倒れていた。

脈はあるが、意識がない。右手の近くに小さなガラスの容器が転がっており、中に少量の白い粉末が残っていた。

薫が救急車を呼び、ひとみは救急病院に連れて行かれた。あらかじめ毒を飲んだ可能性があると伝えていたため、すぐに胃洗浄が施され、幸いひとみは一命をとりとめた。

ひとみの自殺未遂の一報は、武藤弁護士により、すぐに浅倉に知らされた。そのニュースを聞いた死刑囚は、こうつぶやいた。

「あの女が自殺なんかするはずがない。杉下右京、まんまとはめられたか……」

「まんまとはめられました」

小暮ひとみが飲んだのはコニインだったという知らせを受けた右京は、見事に罠にはまったことを自覚した。

「彼女、死ぬつもりはなかった、って言うんですか？」

薫が右京に訊き返す。

「コニインというのは別名毒ニンジン、ソクラテスが自殺に用いたと言われている神経毒です。死に至るにははやくとも三十分、場合によっては一時間くらいかかるそうです。あの場面でわれわれが三十分以上も放置しておくとは、彼女も思っていないでしょう」

「ええ、そりゃまあ。しかし……」

「彼女は毒物の専門家です。本当に死ぬつもりだったならば、もっと即効性のある毒を選びませんかね？　言い換えるならば、致命的な毒を」

「アトロピンのような？」

「はい。なにしろ同じ建物にわれわれがいたんです。異変に気がつけば、すぐに処置が行なわれてしまう。効き目がじわじわ現われる毒を使って、あの状況で死ねる確率は低かったと思いませんか？」

「助かることを見越して、毒を飲んだ……」ようやく薫も事態を理解した。「くそっ！」

「くそっ！」

刑事部長室では内村が激怒していた。病状が回復した小暮ひとみの元へ事情聴取に行った伊丹と三浦から、いましがた信じられない報告を聞いたからだった。

「全面否認したのか？」

中園が確認すると、伊丹が渋面になってうなずいた。

「『三人を殺したなんて自白した覚えはない。全部、杉下右京と亀山薫によるでっちあげだ』、そう主張しています」

「だったら、なんであの女は死のうとしたんだ？」

中園の問いに、今度は三浦が答えた。

「『別件で逮捕するとあのふたりに脅された』というのが小暮ひとみの言い分です。しつこくつきまとわれて、どうしていいかわからなくなってしまい、毒を飲んだと」

「おまえたちはどう思う？」

「心証としてはクロでしょう」伊丹がしぶしぶ認めた。「しかし、なんの証拠もない以上、こちらからは手の出しようがありません」

「いまいましいやつらめ」内村が歯を食いしばる。「今回の失態がマスコミに知られてみろ。過剰捜査だ、警察の横暴だ、と好き勝手に騒ぎ立てられる。そうなれば非難されるのはここ刑事部なんだ。今回のことは杉下と亀山に責任をとってもらう。われわれの手には負えん！」

内村は怒りもあらわに、部屋を出て行った。

八

亀山薫は緊張していた。

基本的に物怖じしない性格であり、内村刑事部長に対しても小野田官房室長に対しても、ひるむことなどない。しかしながら、さすがに今回ばかりは勝手が違った。警視庁の幹部たちがずらっと大会議室に顔をそろえて、こちらを見ている。お歴々の表情はひとしなみに曇っている。それというのも、中央に座ってこの場を取り仕切っている人物が、苦虫を嚙みつぶしたような顔で威圧的に振る舞っているからだろう。

男の名は大河内春樹、警視庁警務部に所属する主任監察官である。大河内は不機嫌そうに白い錠剤を口に放り込むと、音を立てて嚙み砕いた。がりがりという不快な音が会議室に響き渡る。

「つっ立ってないで、座って」

横に立っていた杉下右京が、一礼して着席した。薫もそれにならう。

ふたりは小暮ひとみの自殺未遂の責任を問われ、いまから査問会議にかけられるのだった。いかなる処分が下されるのか。それを考えると薫の胸中は不安でいっぱいだった。

「ああ、頭が痛い」大河内がうつむきかげんの姿勢でねちっこく言う。「頭痛がひどくてね。もちろん、頭痛の種はあなた方。さて、杉下警部」

「はい」

名を呼ばれた右京が厳粛に答えると、主任監察官は警部の相棒の名前を確認するために、視線を机上の書類に落とした。

「そして、えっと、亀山巡査部長」

「はい」

たったそれだけ答えるのに、薫は自分の声が震えているのを実感した。大河内が面《おもて》を上げる。冷酷そうな印象を与える眼鏡が、照明を反射して光った。

「おふたりについて、問題になっているのは、次の二点です。ひとつは、それぞれ休職中、休暇中にもかかわらず、かつまた、捜査権限のない部署に配属中にもかかわらず、勝手な捜査活動を行なったこと。もうひとつは、その捜査に行きすぎがあり、結果、重大な過失を引き起こしたこと」

「過失？」

薫が反射的に口答えしてしまった。

「自殺騒ぎを起こされるなんて、過失以外のなにものでもないだろう！　違うか？」

大河内の隣の制服を着た男がいきなり怒鳴った。次長だろうか。恫喝が堂に入っているので、元はマル暴担当だったのかもしれない。

「おっしゃるとおり。責任は感じています」

右京が粛々と答えた。どうしてこの人は、こんなに落ち着いていられるのだろう。

頭が痛むのか、大河内はときおり顔をしかめながら、ふたりを追及する。

「大学教授とふたりの会社役員が殺された事件の捜査は、当然進めなければならない。むろん、極力はやく犯人を挙げねばならない。が、しかし、それはあなた方の仕事ではない。いずれにしろ、懲戒処分は免れませんよ。おふたりには処分が決まるまで謹慎していただきましょうか」

実質は三十分もかかっていないのに、とても長く感じた。査問会議から解放された薫は、会議室の外の廊下で肩を落とす。

「はあ、謹慎か……。右京さん、どうします？」

「ぼくはねえ、亀山くん」右京がこちらを向いた。「どちらかというと穏やかな人間です。争いごとは好みません。しかし、売られた喧嘩は買いますよ」

「え？」

「そして、必ず勝ちます！」

元上司の瞳の奥には炎が宿っていた。

静かに闘志を燃やす右京は警視庁を出ると、その足で東亜薬科大学へ向かった。

「さすがにちょっとヤバくないですかね」と笑いながら、薫もついていく。自分も売られた喧嘩は買う人間だ、という自負があった。

ふたりの目的は大学での研究生活に戻った小暮ひとみと面会することだった。研究室に顔を出すと、ひとみは迷惑がりながらも時間を割いてくれた。

「お詫びなんて結構ですから」

「そういうわけにもいきません。たいそう不愉快な思いをさせてしまいましたから」

お見舞いとして持参した鉢植えの花を薫が渡すと、ひとみは「まあ、きれい」と取り繕って受け取った。

「もちろん、こんなもので許してもらえるとは思っていませんけどね。すみません」

薫がおどけてみせると、ひとみも陽気をよそおって応じる。

「許してあげるから、もうわたしにつきまとわないでほしいなあ」

「はは、ご安心を。謹慎食らっちゃいましたから」

「こう見えて、今回のことは深く反省しています」

右京がまじめな顔で言うと、ひとみがもらった花を見つめた。

「そうかしら？　この花、マリーゴールドだわ。花ことばは『悪を挫《くじ》く』だったように記憶しているけど」

「おや、そうでしたか。それは気づきませんでした。お気を悪くなさいませんよう。それでは失礼いたします」

右京が深々とお辞儀し、薫もそれをまねた。ふたりとにこやかな顔で別れたあと、ひとみは鉢植えをゴミ箱に投げ捨てた。

その夜、右京と薫は〈花の里〉で捜査会議を開いた。奥寺美和子も同席している。

美和子が手帳を開いて報告する。新聞記者のネットワークとフットワークを使って、調べた内容だった。

「小暮ひとみの母親が亡くなったのは平成七年です」

右京が即座に暗算した。

「彼女が高校生のときですか」

「なんで亡くなったんだ？」と、薫。

「くも膜下だって。若いのにお気の毒」

「家族関係はどうだったのでしょう？」

「ご近所さんの話では、良好だったみたいですよ。家族三人とても仲良しで、特に旦那さんは愛妻家だった、って」

右京がちょっと引っかかったようだった。

「愛妻家ですか？　しかし愛妻家の父が、あんなことをするでしょうか？」

「どういう意味ですか？」

「部屋に飾ってあった写真です。母親の写っている写真は一枚も飾られていませんでした。娘と一緒の写真はあったにもかかわらず」

「なるほど」薫が矛盾した行動の意味を考えた。「とすると、ひとみが母親の写真を排除しているのかもしれない」

「なぜ、彼女はそんなまねをするんですか？」

「表面上は仲が良さそうに見えて、実は彼女と母親の間には確執があったとか」

三人の会話を聞いていた宮部たまきが口をはさむ。

「嫉妬してたんじゃないかしら」

「嫉妬？」

「そのお嬢さん、お父さんのことが大好きだったんじゃないかしら。お父さんがお母さんと仲良くしてるから、やきもち焼いてたんじゃないの？」

「要するにファザコンだね」

美和子が評論家のような口ぶりでまとめる。

「ありうる」薫が同意を示した。「彼女の付き合っていた男たちを見れば、そのセンは間違いない。みんな父親と同じくらいの歳だから」

「なるほど……」

妙に感じ入ったようすで、右京がうなずく。

同じ頃、小暮ひとみは高級中華料理店で、父親と同年配の男性とふたりきりで食事を楽しんでいた。男は七日会のメンバーのひとり、小野田公顕だった。

「ひとつ訊いてもいいですか？」

食べきれないほど並んだ料理を前にして、ひとみが質問する。

「なんでもどうぞ」

「官房室長っていうのは、すごく偉いんですよね？」

小野田は前菜を皿に取り分けながら、

「まあ、かなり偉いですよ。それにしても、今日誘ってくれたのは、ぼくと食事をするのが目的じゃないでしょ？」

ひとみは思わせぶりな目くばせをくれて、無言のままスープを口に運んだ。

「なにかな？　ぼくがお役に立てることかしら？」

陶製のれんげを静かにおいて、嫣然《えんぜん》と微笑む。

「とてつもなく無礼な刑事が、約一名いるんですよ。名前は杉下右京。ご存じですか？」

「ええ。彼はなかなか有名人です」

「ああいう人、野放しにしておくのはどうかと思うんです」

「その意見には、ぼくも同感です」

「だったら、懲らしめちゃってください」

小野田は身を乗り出して提案した。

「そうですね、近いうちに島流しにしましょう」

「できます？　だったら、約束」

ひとみが右手の小指を差し出した。

九

翌日、ひとみが大学から自宅に戻ると、門の前にとてつもなく無礼な刑事とその相棒がいた。

「またいらっしゃったんですか。今度はなにか？」

ひとみは不機嫌な気持ちを声に含ませた。

「昨日は知らぬこととはいえ、不吉な花を差し上げてしまい、申し訳ありませんでした」刑事の口ぶりはいかにも白々しかった。「大層お気を悪くされているのではないかと思い、そのお詫びに」

「また、お詫びですか」

皮肉を言っても、相手は動じなかった。

「今回は花はやめました」相棒が能天気な調子で、洋菓子のパッケージを掲げている。

「ケーキです。お詫びのしるし」

ひとみはケーキを受け取ると、これ見よがしにため息をついた。

「上がりますか？」

「恐縮です」

刑事のしゃちこばった態度が気に障る。

屋敷に入ると、ひとみはすぐに、「今度は死なないので、着替えてきてもいいですか？」と言ってやる。さすがにからかわれていると察した相棒が、「手短にお願いしますね」と返した。

急いで自室に戻ったひとみは、毒は飲まなかったけれども、携帯電話で応援を求めた。そして手早く着替えると、階下の客の前に姿を現わした。刑事たちはマントルピースの上の父親の写真を見ていた。むかついたが、表情には出さないよう注意した。

「紅茶でも、飲みます？」

「いえ、結構です。それよりひとつ訊きたいことがあります」

「ですよね」不安な予感がしたが、応じないわけにはいかない。「なんでしょうか？」

「お墓参りはなさらないのでしょうか？」

予想もしない質問に意表をつかれた。

「は？」

「お母さまのお墓ですよ」

「実はさっきね……」

相棒が揉み手しながら話し出した。その先は聞かなくともわかる。

「行ったんですか。信じられない！」

「娘さんにご迷惑をかけたので、そのお詫びに」バカのひとつ覚えのように無礼な刑事がお詫びを繰り返す。「お墓にはお母さまがおひとりで眠ってらっしゃるようですね。ずいぶん、手入れがされていないように見えました。先祖代々のお墓ではないのですねえ」

「ええ、そうですよ」

この男たちにここまで他人のプライバシーに立ち入る権利はあるのだろうか。

「先祖代々のお墓でないとすると、当然、お父さまが建てられたものですよね？」

「それがなにか？」

ひとみは息苦しくなって、窓を開けた。そよ風が吹き込んできて、少し呼吸が楽になる。しかし、この刑事はなにを言おうとしているのだろう。

「お父さまは愛妻家だとお聞きしました。なのに、なぜお母さまの写真が一枚もないのですか？　細かいことが気になってしまうのですよ。ぼくの悪い癖で」

本当に悪い癖だ。どう言い返そうかと考えていると、相棒が口を開いた。

「ひょっとしてあなたが、お母さんの写真をしまい込んじゃってるんじゃないですか？」

「余計なお世話です。家庭の事情まで勝手に詮索しないでください」

「ああ、やっぱり事情があるんだ」

「揚げ足取らないでください！」

「お母さんとはうまくいっていました？」

間抜けなように見せかけているが、相棒のほうも侮れない。うまく答えなければと考えているところに、玄関のチャイムが鳴った。救いのチャイムの音だ。

「誰でしょう……見てきます」

もちろん誰だかわかっている。援軍が到着したのだ。ひとみは援軍を招じ入れ、無礼な刑事に対面させた。

「運転免許試験場の亀山ぁ！　つくづくバカだな、てめえは」

「なんだ、伊丹、どうしてここへ？」

相棒が動揺したのを見て、ひとみは声を上げた。

「この人たち、無理やり入ってきて居座って、帰ろうとしないんです！　なんとかしてください！」

「場合によっては住居侵入。立派な犯罪ですよ」

三浦と名乗った刑事が、無礼者に詰め寄った。いい気味だ。胸がすく。

「無理やり上がり込んだつもりはないんですがねえ」

「押し入るように入ってきたじゃないですか！　嘘つき！」

伊丹と三浦が、無礼な男たちをつまみ出した。ひとみは胸をなでおろした。

「さすがにまずかったですかね……」

刑事部長室で内村と中園にたっぷり油を絞られた薫が、右京にすがるような目を向ける。

内村部長は、ふたりの行為は捜査妨害だと言って非難した。どうやら捜査一課も、毒殺犯は小暮ひとみと目星をつけ、捜査を開始したらしい。それを邪魔したように内村の目には映ったようだ。

内村も中園も常日頃からふたりを目の敵にしている。保身しか考えていないくせに、手柄を横取りされるのは許せないのだ。きっと、舌なめずりしながら監察官に報告するに違いない。杉下右京と亀山薫は謹慎処分中にもかかわらず、捜査一課の妨害をしました、と。

「覚悟はしておいたほうがよいかもしれませんね」

右京が達観したように言った。ということは、懲戒免職……ついにクビを言い渡されるのだろうか。気難しげに顔を歪めて錠剤をバリバリ嚙んでいた大河内監察官を思い出してしまった薫は、嘆息するしかなかった。

そんな相棒の心中を知ってか知らずか、右京が力を込めて宣言する。

「しかし、もうあとには引けません」

「あとには引けないということは、前に進むしかないですね」

薫が自分の気持ちを鼓舞するように言うと、右京がうなずいた。

「実は、荒れたお墓の件が気になっています」

「お母さんとうまくいってなくって、墓参りに行く気にならなかったんでしょ？　彼女の態度を見ればわかります」

「いや、彼女と母親の関係はこの際どうでもいいです。ぼくが引っかかっているのは父親のほうです。父親は墓参りをしそうなもんじゃないですか。なにしろ、奥さんを非常に大切にされていたようですから」

変わり者の元上司の頭の中の疑念が、薫にはいまひとつよくわからなかった。

「だけど、父親は忙しく海外を飛び回っている人でしょう。墓参りに行く暇なんかなくても不思議じゃないと思いますけど」

右京が突然薫のほうを向き、左手の人差し指を立てた。

「そこです。そんなふうな留守がちな人だからこそ、帰国したらなにをおいてもまず墓参りを済ませたいと思うのではないでしょうか。われわれが初めて彼女を訪ねたとき、父親は昨日出かけてしまった、と言いました」

「ということは」薫にも右京のもやもやが少しずつ伝わってきた。「父親は少なくとも何日間かは日本にいた。にもかかわらず、あのお墓の荒れ具合は半端じゃなかった」

「ええ。一年や二年は放ったらかしだったようですね。ぼくはあのお墓からは、小暮ひとみの〝思い〟しか感じ取ることができないんです」

「小暮ひとみの思い？」

「母親に対する憎悪と言い換えてもいいかもしれません。本来あるはずの父親の〝想い〟はどこへ行ってしまったのでしょう。ぼくには、あまりにも父親の存在が希薄に思えて仕方ないんですよ」

右京が遠くを見つめるような目をして言った。

小暮ひとみの大学へ聞き込みに行った右京と別れた薫は、角田六郎に泣きついた。

「ねえ、お願いします。このとおり頭を下げます」

「ちょっとさあ、ムシがよすぎると思わない？　この間のきみの冷たい仕打ち、ぼくはもう一生忘れませんよ。情けは人のためならず、というありがたいことばを嚙みしめなさい」

角田はつっぱねたが、薫はあきらめない。こっちにはクビがかかっている。

「次回は必ず便宜を図ります。約束します」

「あのねえ、そう度々シートベルト忘れると思ってるの？」

「いや、そういうわけではありません」直立不動の姿勢から深く腰を折った薫は、それでも効き目がないと知ると、床に膝をつけた。「このとおりです」

「ちょちょちょ、ちょっと……」慌てて角田が止めに入る。「わかった、わかったから、そんな芝居がかったまねはやめてよ」

こうして薫は、どうにか目的の資料を入手することができた。


その夜も〈花の里〉でふたりの捜査会議が開かれていた。

薫がようやく手に入れた資料を右京の前に広げて見せる。ひとみの父親、小暮慶介の渡航記録の写しだった。

「右京さん、見てください。ちょっと変なんですよ。小暮慶介の渡航履歴は平成十年で途絶えています」

右京が資料をのぞき込んだ。コスタリカ、ミャンマー、スリナムなど、あまり一般人が行かないような国の名前がずらっと並び、最後にブラジルと記されていた。

「平成十年九月五日のブラジルからの入国が最後ですか」

「ええ。以後はいっさい海外渡航の記録はありません。彼女はこの前、父親は海外へ出かけたって言いましたよね？　変だと思いませんか？」

右京はしばし思案顔になり、

「実はこちらもちょっと変ですよ。小暮慶介氏はとっくの昔に大学を退職していました」

右京の語った調査内容はあまりに意外だった。

「退職ですって？」

「正確には退職扱い。平成十年に休暇を取ってブラジルに行ったきり、戻ってこなかったそうですよ」

「いや、ちゃんと戻ってきてますよ。ほら、入国記録がありますから」

「記録はそうなっていますね。しかし、小暮ひとみは、父親は帰国しておらず連絡もない、と大学側に言ったそうです」

「そんなバカな……それって、行方不明ってことですか？」

「そうなりますね」と、うなずく右京。

「大学側は捜索願を出したりしなかったんでしょうか？」

「彼女が固辞したそうです。プライベートな旅行中のことなので迷惑はかけられない。自分で手配する。そう言って」

「平成十年といえば、最初の毒殺事件があった年ですよね……」

事件が異様な展開を見せてきて、薫の頭は大いに混乱していた。

小暮ひとみは嫌な気配を感じて目を覚ました。

いつの間にかリビングのソファで寝ていたようだ。なんだか悲しい夢を見たようだったが、なんの夢だったろう。確か大好きなパパが帰ってきて……気がつくとまたいなくなっていた……そんな夢だったような……。

ふとテラス窓のほうに目をやったひとみは、恐怖のあまり背筋が凍った。庭からあの無礼者たちが室内をのぞいていたのだ。

まだ夢を見ているに違いない。そう思い込もうとしたが、現実は甘くなかった。あのいけすかない刑事が、なにか言っているようだ。

ひとみは意を決してテラス窓に近づくと、それを開けた。

「なんなんですか、いったい。勝手に入ってきて！」

「すみません。何度もチャイムを鳴らしたのですが応答がないので……」

「部屋に明かりがあるから、お留守ではないと思ったものですからね……」

「こちらに回ってのぞいてみると、お休み中のようでしたから……」

「ドンドンと叩いて起こすのも気が引けたもので……」

「ここで待っていました」

ふたりの無礼者が薄笑いを浮かべながら交互にしゃべっている。まるで責め立てられているようで、頭がくらくらする。

「寝ているのがわかったら、帰ったらいいでしょう！」

「大事なお話があるものですからねえ。ぼくはお詫びしなければなりません」

ひとみの堪忍袋の緒が切れた。

「お詫び、お詫び、お詫び！　いいかげんにしてください。また、警察を呼びますよ！」

「いえ、今度こそ本当のお詫びです。実は真犯人は他にいたことがわかりました」

「え？」

「小暮慶介さん。あなたのお父さまです」

この男はいったいなにを言っているのだろう？

「パパが犯人？　冗談じゃないわ」

「上がってもよろしいですか？　このままですと、表に丸聞こえですから」

「お邪魔します！」

自分でもよくわからぬまま、ひとみはふたりの男が部屋に入るのを許してしまった。

こんな夜中なのに、しわひとつないスーツをきっちり着込んだ刑事が勝手にしゃべりはじめた。

「今回の三件の殺人事件……状況的にはあなたが非常に怪しい。しかし、証拠はなにもない。とりわけ頭を悩ませたのは動機です。なぜ、次々に殺さなければならなかったのか。その動機はいったいなんなのか……」

無礼者の淡々とした語り口を聞いていると、ひとみは胸が締めつけられるような気分になった。しかし、男は一向にしゃべるのをやめようとしない。

「そう考えると、あなたには動機がないんですよ。不倫とはいえ、恋人を次々に殺さなければならない理由が見当たらない。ですから、少し視点を変えて考えてみました。あなたの不倫相手を殺す動機のある者はいないか……ひとり、いました」

男が左手の人差し指を立てた。この得意げなしぐさが癇に障る。

「それがパパだって言うの？」

無礼者は笑みを浮かべたまま答えようとせず、背後からラフな恰好の刑事のほうが口を開いた。

「かわいいひとり娘が自分と同じ年恰好の、それも妻子持ちの餌食になっていたら、頭にくるでしょう。相手の男を殺したいほど憎んでもおかしくないでしょ？」

「パパは関係ない！」

再び鼻持ちならない無礼者が口を開いた。

「しかし、お父さまは姿を消しているじゃありませんか。平成十年九月五日、ブラジルから帰国したまま、姿をくらましている。そして、その三カ月後に丸山教授が殺された。あなたは、お父さまの犯行だとすぐにわかったのではありませんか？」

「だから捜索願も出さなかったんでしょ？　いまだに出していないのは、捜されたら困るからですよね？」

「あなたはお父さまの犯行だと知って、かばっていらっしゃる。だから公には捜索願を出さず、しかし、われわれの前では失踪中であることを悟られぬよう、父親が相変わらず海外を飛び回っているようにおっしゃった」

「そんなのこじつけよ」

「そうでしょうか？　ぼくはこの推理にかなり自信を持っているつもりですが」

「もっと優秀な刑事さんかと思ったけど、買い被りだったのね。パパが犯人なんてバカバカしい。パパは人殺しなんかできない！」

「そうですか。できませんか？」

　この無礼者の邪推をこれ以上聞いていると、頭がおかしくなってきそうだ。

「帰ってちょうだい！」

「帰ります。でも、あなたがなんとおっしゃろうと、ぼくは必ずあなたのお父さまを見つけてみせますよ」

「じゃあ、失礼しました」

　ようやくふたりの侵入者を部屋から追い出すことに成功したひとみは、深呼吸をして息を整えた。

十

深夜の侵入者たちの無礼な振る舞いのせいで、翌日のひとみは朝からぼうっとしていた。講義にも集中できないし、実験室でもつまらないミスばかり犯した。こんな調子で続けていてもらちが明かないので、はやめに帰宅することにした。

豪邸と人から羨ましがられる屋敷の玄関の鍵を開け、邸内に入ったひとみはリビングのテーブルの上で意外なものを発見した。父親の旅行カバンと飲みかけの缶ビールが置いてあったのだ。

(パパ?)

しかし、その姿は見当たらない。階段を駆け上がり、父親の部屋に急ぐ。デスク上に植物図鑑が広げられ、パソコンも立ち上がっている。

(帰ってきたの?)

しかし、寝室にも浴室にもいないようだ。庭を散歩しているのかもしれない。そう考えたひとみは、バルコニーへ出ると、庭を見おろした。

すると、父親が愛用している白い上着と帽子を身に着けた人物が、まさに屋敷の中に入ってくるところだった。

(パパなの?)

顔がはっきりと確認できなかったが、歩き方が違うような気もする。幻覚を見ているのだろうか。ひとみは混乱した。

そのとき電話の呼び出し音が鳴った。慌てて駆け寄り、受話器を取り上げる。

――ひとみか？　おまえに会いたいんだ。

受話器の向こうから、耳になじんだしわがれ声が聞こえ、すぐに切れた。

「亀山くん、追跡してください。彼女はきっと父親に会いに行くはずです」

助手席の右京が言った。たったいま小暮邸の門が開き、ひとみの運転する車が外の道路へ出て行ったところだった。薫は言われたとおりに追跡を開始した。ひとみの車は市街地を迂回して、かなりのスピードで走っていく。やがて車の通行量が少なくなった。尾行に気づかれるのではないかと、薫は心配したが、ひとみはまるで後方に注意を払っていないようだった。車は海沿いの国道を経て、そのうちオーシャンビューを望むことができる高台を登りはじめた。登りきったところに、ぽつんとひとつ瀟洒な洋館が建っていた。小暮家の別邸だった。

ひとみは鍵を開けて、館内に入っていく。相変わらず、追っ手の存在には気づいていないようすである。右京と薫はあとを追う。

入ってみて驚いた。家具には白い布が被せられ、床にはほこりがたまっていたのだ。

どうやらこの別邸は長い間使用されず、封鎖されていたようだ。

遠くから靴音が響いてくる。地下だろうか。薫は右京と歩調を合わせながら、息を殺して近づいていく。

地下に下りると、前方に木製の扉が外側に開いているのが見えた。倉庫、いや、ワインセラーかもしれない。そのとき、扉の内側から女性の鋭い叫び声が聞こえてきた！

「パパーッ！」

小暮ひとみの声である。ということは、やはりあの地下室に小暮慶介がいるに違いない。薫は右京と目で合図して、部屋に踏み込んだ。

ひとみは安楽椅子に座った姿勢の父親に対面していた。その父親の顔を見て、薫は我が目を疑った。小暮慶介はすっかりミイラ化していたのである。

父親の遺体にすがりつき、ひとみが嗚咽を漏らしている。

「パパ……ごめんね……」

「なるほど、これではお父さまの存在が希薄なはずですね。お父さんに人殺しはできない……ぼくもそう思ってました」

右京が小声で述べると、ようやく刑事たちに気づいたひとみが、顔を上げた。すぐに事態を理解したようだった。

「……あれは刑事さんのしわざか」

「申し訳ない。あなたにお父さまのところまで案内していただくしか、なかったものですからね。慶介氏のカバンや植物図鑑を使わせていただきました」

「刑事さんが空き巣みたいなまねするとは思わなかった……」

ひとみが魂の抜けたような声で言った。

「あなたが捨て身で逃げようとなさったように、ぼくも捨て身で追いかけようと思いました。今度は立派な住居侵入です。あなたが訴えれば、ぼくはひとたまりもない」

「訴える……いまさら、そんなこと……庭にいたのは、あなた？」

人形のような虚ろな顔が薫のほうを向いた。

「すみません。俺なんかじゃ、ご不満でしょうけど」

「参ったな……電話はどうやったの？」

「電話？」

「確かにパパの声だった……あれはどうやったの？」

「われわれは電話などしてませんが……？」

「嘘よ。パパのふりしてかけたでしょ？」

室温が一定に設定されているはずのワインセラー内の空気が、一気に冷たくなったように薫は感じた。ひとみの精神状態はすでに正常とは言いがたくなっているようだ。

「お父さまがわれわれに味方してくれたのでしょうかね」

「そっか」焦点の合っていない目で愛しそうにミイラの顔を見つめたまま、ひとみが淡々と自供をはじめた。「ママが死んで、パパとふたりっきりになったとき、パパへの気持ちが抑えきれなくなった。パパが欲しくてたまらなくなった。でも、パパはわたしのことを娘としか見てくれなかった。女として愛してはくれなかった。だから無理やり誘惑したの。拒絶されたわ。それ以来、蔑みの目でわたしを避けるようになったの。悲しかったわ。胸が張り裂けそうになるほど、苦しかった。だから、コニインを飲ませたの」

衝撃的な告白に薫が絶句していると、右京が静かに語った。

「毒ニンジンですね。あなたがこの前お飲みになった」

「そうよ……あれは苦しまないし、ゆっくり死ねるから。パパはわたしだけのもの。誰にも渡したくなかった」

「お父さまを殺した動機はわかりました。ならば、お付き合いしていた男性を次々に殺したのは、なぜですか？　その動機が皆目わかりません」

「パパじゃないからよ」

一瞬だけひとみの目に感情らしき影が差したように薫は思った。

「はい？」

右京が訊き返す。

「みんなニセモノだった。わたしが欲しいのはパパだもの」

ひとみが父親の遺体に抱きつき、その勢いで安楽椅子が激しく揺れた。ミイラの着ていた白い上着から、定期入れのようなものが音を立てて落ちた。

薫が拾い上げると、果たしてそれは定期入れで、中に一枚の写真がはさまっていた。精悍な顔立ちの小暮慶介とその妻と思われる清楚な印象の女性、そしてそのふたりの間に屈託なく笑う小学生のひとみが写っている。

薫がその写真をひとみの前に掲げると、彼女の目から大粒の涙がこぼれ落ちた。

十一

警察庁の官房室長室で小野田は、大河内主任監察官に電話をしていた。

「懲戒免職もいいですけどね、彼らにはクビよりもこたえる罰があるんですよ。ええ、そう……それはね、島流し。え、ですからね、し・ま・な・が・し」

数日後、警視庁組織犯罪対策部の一番奥の小部屋に、一枚のプレートが取りつけられた。

「ついに復活か！」

『特命係』と記された真新しいプレートを見ながら、角田が嬉しそうにつぶやくと、部下の小柄な大木がぼやいた。

「俺らは組織変更で生活安全部から組織犯罪対策部に移行されるし、いままでなじんだ薬物対策課という名称もなくなっちゃうってえのに……」

「特命係だけは元のままなんですね」

同じく部下の大男の小松が首を振った。


特命係の小部屋に戻ることになった薫は疑心暗鬼だった。

「どうせ、あの人の差し金でしょ？　またなんか俺らにさせようって魂胆ですよ」

「まあ、いいじゃないですか」以前と同じ席に座って、右京はご機嫌だった。「やはりここが一番落ち着きます」

「特命係が落ち着くなんて、どうかしてるんじゃないですか。ここは警視庁の陸の孤島ですよ。人材の墓場とも言われている」

「ところで、浅倉さんに報告はすませましたか？」

「ああ、今日、武藤先生が行ってくれてるはずです」

薫が右京の質問にそう答えたところで、携帯電話が鳴った。噂をすれば影のたとえどおり、武藤かおりからだった。

「もしもし？」

――武藤です！　亀山さん、よく聞いて！

珍しくあの女性弁護士が興奮している。

「どうしたんですか？」

――浅倉さんが脱走したの！　見張りの刑務官を殺して、隙をついて逃げたみたい！

「なんですって？　でも、なんであいつが、いまさらそんなことを？」

――あの人、わたしに会って、命が惜しくなったと言ってたわ……。

翌日、自殺の名所として知られるある断崖で、浅倉が刑務官から奪った制服と靴、さらに乗り捨てられた盗難車が見つかった。一緒に、浅倉の手書きのメモが残っていた。

　俺の命は俺のものだ。自分の自由にする。

　いざ、さらば。　　　　　　　浅倉禄郎

「小暮ひとみの逮捕がせめてものはなむけになりました」

相棒がしんみりとつぶやくのを聞きながら、右京は遺書めいた文言をじっくりと頭の中で嚙みしめていた。

第二話
「殺人晩餐会」

一

亀山薫はかしこまって食事するのが苦手である。特に、高級なフランス料理は性に合わない。マナーに気を遣わなくてはならないと意識しただけで、味を楽しむ余裕がなくなってしまうからだ。たかが食事のために正装を義務付けられるというのも解せない。

薫はいま、〈オーベルジュ・ド・コーヅカ〉というフレンチ・レストランでディナーをいただいていた。恋人の新聞記者、奥寺美和子が予約した店だ。上司の杉下右京とその元の妻、宮部たまきも一緒だった。

「ちょっと、もっとよく味わって食べなさいね」

前菜の茸と牡蠣のパイケースを薫が口に運んでいると、隣席の美和子が文句を言った。どうして叱られなければならないのだろう。

「ねえ、なんとか言ったらどう？」

不合理だな、と思っていると、上司が救いの手を伸べてくれた。

「彼は、おいしいと無口になります」

「あら、そうなの？」たまきがびっくりしたような声を出す。「うちのお店では、よくしゃべっているわよねえ？」

ワインを噴き出しそうになった。

「いやいや、すみません。もちろんたまきさんの作る京風料理もおいしいですよ」と、本音を語る。

このフランス料理も確かにおいしい。しかし、だからといって、わざわざこんな山奥まで出向く必要があるだろうか。しかも、朝から降り続いている雨が激しくなってきている。気が滅入るような降り方だった。

一日に二組限定だというから、値段だって相当なものに違いない。タクシー代だってかかっているのだ。せめて元を取るくらい、しっかり味わい尽くしてやろう。薫はそう思いながら、せっせとフォークとナイフを動かしていた。

「さすが、美和子さんです」右京が言った。「これだけおいしいお店を見つけてくるなんて」

「実は……」美和子が照れながらバッグから冊子を取り出した。「これで探しました」

「なんだ、エトイレスって？」

薫が問うと、美和子とたまきの声が重なった。

「エトワール！」

右京が追い討ちをかける。

「フランス語で星という意味です。フランスの建設会社が出している世界的なグルメ本で、『ミシュラン』と並び称されています」

「ふーん」

「ちょっとこれ、見てごらん」美和子が冊子をめくった。このレストランが紹介されたページを開く。「日本で三ツ星って、ここだけなんだよ」

「しかし、そんな評価、誰がつけるんだか」

薫は皮肉を言ったつもりだったが、美和子は正面から受け止めた。

「インスペクターよ」

「インスペクター？」

右京が微笑みながら、ご自慢の雑学を披露する。

「料理を審査する人のことですね。自分の正体を家族にも内緒にするそうですよ」

皿が代わって、栗を使ったポタージュスープが出てきた。おいしいものは人を無口にするというのは本当かもしれない。四人が黙ってスープを啜っていると、ギャルソンがもう一方のテーブルに新たな客たちを案内してきた。遅ればせながら二組目の来店のようだ。

ひと足はやくスープを平らげた薫は、新しい客をさりげなく観察した。男二名に女二名。そのうち二名の男性と片方の女性は中年と称してよい年配だろう。女性は教師のようなたたずまい、男性はそれぞれ会社員と自由業という風体である。もうひとりの女性は残りの三人より明らかに若く、まだ三十歳代に違いない。四人は顔つきがまるで異なっている。年齢構成から家族でないのはもちろんだが、親族とも思えない。また、打ち解けた感じでもないので、こちらのグループのように二組のカップルというわけでもなさそうだった。

女性たちが腰をおろし、最後に自由業風の男が着席した。気がつくと右京もそのようすをじっとうかがっていた。

「食前酒はどうなさいますか？」

初老のギャルソンがオーダーを訊く。年嵩の女性が白ワイン、若いほうの女性がマティーニをそれぞれ注文すると、自由業風の男が焼酎のロックを頼んだ。ギャルソンが困ったような顔で、焼酎は用意できない旨を説明している。男は憮然として冷酒をオーダーしたが、それも丁重に断られると、仕方なくワインで同意した。会社員風は運転手役なのか、頼まない。

「明らかに場違いな男が来たな」

薫が美和子に耳打ちすると、「きみもそうだよ」と言い返された。ばつの悪くなった薫が眉をひそめていると、場を和ませようとたまきが言った。

「でも、本当に来てよかったわ」

ところがたまきの心配りは、隣のグループによって打ち砕かれてしまった。突然、会社員風の男が声を荒げたのだ。

「黛《まゆずみ》流の家元は世襲制に決まってるんです！」

男は思わず大声を上げてしまったのを恥じるように、顔を伏せた。

「黛流って言った？」

美和子が声をひそめて訊くと、たまきが応じる。

「有名な生け花の流派よね。関係者かしら」

「あのおっさんが？」

薫には先ほど焼酎を頼んだ男性が生け花をたしなむとは思えなかった。隣のグループは険悪なムードになっていたが、例の男だけはどこ吹く風といったようすで、ワインをがぶ飲みしている。

やがてこちらのテーブルに次の地鶏の網焼きが運ばれ、向こうはスープの順番になった。場違い男は音を立ててスープを飲みながら、正面に座る年嵩の女性に抗議した。

「メシ食うのに香水なんかつけてくんな！」

「身だしなみです」

「マナーなってねえな」

「あなたに言われたくありません！」

そんな中、ギャルソンが恐縮しながら発言した。

「失礼します。ご予約の際、デザートはいらしてからお決めいただくことになっておりましたが、どうなさいましょう？」

若いほうの女性が質問する。

「お薦めは？」

「当レストラン特製グラスバニーユはいかがでございま……」

ギャルソンのことばを場違い男が途中で遮る。

「そりゃ、つらいなあ。今日冷たいもん食いすぎて、腹冷えちまって」

「でしたら、さくらんぼのタルトはいかがでしょうか？」

「うん、それ、それにしよう！　全員それでいいや」

他のメンバーの意見も聞かずに、場違い男が勝手にデザートを決めた。

雨がますます強くなってきた。薫が恨みがましい目で窓の外を見やっていると、厨房からシェフが出てきた。向こうのグループになにか説明している。するとテーブルから驚いたような非難するような声が上がった。即座に場違い男が席を立つ。

「なにかあったのかしら？」

まるで美和子の声を聞きつけたように、シェフがこちらを向いて近づいてくる。その背後で、今度は年嵩の女が席を立ち、場違い男と同じ方向へ消えた。

シェフは困ったような顔をしてこちらのテーブルにやってくると、頭を下げた。

「あの、大変申し上げにくいんですが、実はいまふもとの警察から連絡がありまして、こちらへ続く道路で土砂崩れがあった、と」

「来るときにタクシーで通ってきた道かな？」

「たぶん。こちらにいらっしゃる道は一本だけですから」

「じゃあ、どうやって帰るの？」と、薫。

「それが、復旧するのは朝になるだろうと……」

「あら、困ったわね」

たまきが顔を曇らせると、シェフが慌てて言い添えた。

「ご心配なく。うちはオーベルジュですから」

「オーベルジュ？」

薫が素っ頓狂な声を出すと、美和子が顔を寄せた。

「もうっ！　宿泊施設のあるフランス料理店のことよ！」

「みなさまにお泊りいただけるだけのお部屋はございます。ただ、おふたりでひと部屋というご用意になりますが……」

「どうしよう。明日早朝会議があるんだけどな」

美和子が言うと、シェフが申し訳なさそうな顔になった。

「こちらを出られまして、廊下の右に電話がありますので、よろしかったらそちらをお使いください」

「いや、電話なら持ってるから」

美和子がバッグを開けて携帯電話を取り出そうとするのを見て、シェフがさらに困った表情になった。

「すみません。ここ、山奥なのでつながらないんですよ」

薫も慌てて携帯電話を手に取ったが、ディスプレイには「圏外」の表示が出ていた。

「こちらのシェフでいらっしゃいますね？」と、右京。

「あ、申し遅れました。シェフの庚塚《こうづか》です」

「おいしくいただいています」

右京がことばを投げかけると、シェフの顔がちょっとだけ晴れた。シェフが厨房に下がり、少しして年嵩の女が戻ってきた。入れ替わりに会社員風の男が席を立つ。

「ここに泊まることになるなんてね」

たまきはこのハプニングが嬉しそうだった。美和子も気持ちの切り替えがはやい。

「あきらめるしかないか。じゃあ、たまきさん一緒に泊まりましょう」

薫が肘で恋人をつつく。

「バカ、少しは気を遣え！」

「あ……」美和子は薫を横目で睨んだ。「わたし、やっぱりこいつで我慢します」

そのとき、突然雷鳴が轟いた。たまきがそれに反応して悲鳴を上げる。

「あなたの雷嫌いは変わりませんねえ」

しみじみと右京が言うのを聞いて、ふたりを同じ部屋にしてよかった、と薫は思った。

立て続けに雷が鳴り、会社員風の男が渋い顔で帰ってくると、続いて若いほうの女性が立ち上がった。場違い男はまだ戻っていない。忙しいテーブルだなと思いつつ薫が眺めていると、次の料理が運ばれてきた。

「ヤリイカのエテュベ、野菜のアスピック詰めでございます」

皿の上に丸まったイカがごろんと載っている。それを見たたまきが素直な感想を述べた。

「ずいぶんシンプルな料理ですねえ」

「いえ、たぶんこのイカの中に……」

右京はそう言いながら、イカにナイフを入れる。すると中から野菜のゼリーがあふれ出てきた。

たまきと美和子が歓声を上げる。右京はさっそくひと口食べると、「演出も素晴らしいですが、味も素晴らしい」と褒めた。

「うん、おいしい」

「ほんとだ」

女性陣が右京のことばを続けざまに裏づけたので、薫も期待してイカの身を口に放り込む。次の瞬間、やっぱり自分はフランス料理が向いていないかもしれないと思った。まずくはないが、褒めそやすほどのものでもない。それが薫の正直な感想だった。

「どうしたの、薫ちゃん、まさかおいしくないって言うんじゃないよね？」心中の思いが顔に出たのか、美和子が目を三角にした。「三ツ星シェフの味もわからない味音痴！」

「なんだよ、おまえが来いって言うから、来てやったのに！」

薫がむくれると、美和子が言い募る。

「あ、嫌々来たみたいな言い方しちゃってさ。あのねえ、この店は半年前から予約しないと来れない店なんだよ」

痴話喧嘩はあわやのところで中断された。奥のほうから、雷鳴にも劣らないほどの叫び声が聞こえてきたのだ。不審に感じた右京と薫が駆けつけてみると、階段の陰の奥まったスペースで場違い男が刺し殺されていたのだった。

二

被害者の名前は大曲幸吉、第一発見者はギャルソンの榎並だった。薫はすぐに地元の警察に連絡したが、雨による土砂崩れにより、明日まではやってこられない状況だった。

「被害者は心臓をひと突きされ、殺されています」

警察であることを明かした上で、右京が全員を前に言い渡す。

「凶器は包丁かなにか?」と、美和子。

「いいえ、傷口の形状から考えて、それほど鋭利なものではないようです。少なくともこのお店の中にあるもの、もしくはここにいる人が持っているものでしょう」

「まさか、この中に犯人がいると?」会社員風の男が冷静に言った。「誰かが外から入ってきたかもしれないじゃないですか」

「ここへ来る道は塞がれています。それにこの雨ですから、もし誰かが侵入して殺したのなら、出入口から死体発見現場まで濡れた痕跡が残るはずです。同じ理由で、凶器が外に捨てられたとも思えません」

右京が迷いなく指摘した。薫があとのせりふを継ぐ。

「犯人は被害者に怨恨か強い利害関係を持つ人物だと思われます。みなさんから事情をおうかがいしなければなりません。ご協力をお願いします」

「つまり、殺された大曲さんも生け花をなさっていたわけですね?」

右京と薫は最初に年嵩の女性から事情を聞いていた。女性は藤間ゆり子と名乗った。黛流の師範だという。ゆり子によると、大曲幸吉は先だって亡くなった黛流の家元の弟らしかった。その家元を誰が継ぐかを話し合うために、ここで話し合いが持たれていたのである。

「そうみたいです。実は、わたくし幸吉さんと会うのは今日が初めてなんです。彼は若い頃、黛流を飛び出した人なんです」

「なぜでしょうね？」

右京が訊くと、ゆり子は首をひねった。

「さあ、生け花にあまり興味がなかったんじゃないですか」

「それで、彼はいまなにをなさっているのでしょう？」

「建築会社で現場監督をしているとか」

なるほどな、と薫は思った。自由業という想像は間違っていたが、がさつな印象だったので、生け花よりは工事現場のほうが向いている気がする。

「つまり彼は、ずっと生け花から離れていたわけですか」

右京のことばに我が意を得て、ゆり子が勢い込む。

「ええ、そんな人を家元候補にだなんて、バカげてますよ！」

「どうして、大曲さんが家元候補に？」

「事務長が強引に推しているだけなんです。黛流は世襲制だ、と言い張って」

「あのもうひとりの男性が事務長さんですね？」

薫が尋ねると、ゆり子が肯定した。

「はい、黛流の事務長、沼さんです」

「なぜ、事務長はそこまで大曲さんを推していたんですか？」

ゆり子は憤懣やるかたなしというふうに、

「素人を家元にすれば、黛流の利権を握れるからでしょう。黛流は全国に四万人の会員がいますから」

「つまり、家元はそれだけ儲かる、と」

薫が端的に要約すると、ゆり子が気まずそうに咳払いをした。

「だから、あなたも家元に立候補した？」

「わたくしは黛流東京本部の筆頭師範です。実力のある者が家元になるのは当然です」

人に教え慣れているので、教師然とした立ち居振る舞いになるのだろう、と薫は思う。

「だから、最有力候補の大曲さんが邪魔だったわけですか？」

「なにをおっしゃりたいんですか？」

「動機があるな、と」

薫が揺さぶりをかけると、ゆり子は話題を変えた。

「幸吉さんは家元になれるような状態じゃなかったんです」

「どういう意味ですか？」

右京が問うと、ゆり子は慌てて言い直す。

「というか、彼は家元になりたくなかったはずです！　わたくし、そのことで彼が事務長と揉めているのを見たんです。事務長ったら、やる気のない彼を強引に説得して……」

右京は動揺するゆり子を冷静に見ていた。

「そうですか。ところで大曲さんはなぜ席を立ったのでしょう？」

「電話をかけに行ったみたいです。土砂崩れで今日は帰れないと聞いたから、職場に連絡を入れたんじゃないですか」

「そのあと、あなたも席を立ちましたよね？」

「ええ、わたくしも電話をかけようと思って。でも、行ったら幸吉さんが電話しているのが見えたので、しばらく待っていたんですが、長引きそうなので席に戻りました」

「ええ、私は確かに幸吉さんを家元に推していましたよ」

含むところなどなにもないといった口調で沼功は言った。藤間ゆり子に続いて、事務長から事情聴取をしているところだった。沼は長く黛流の事務を仕切るうちに、会社の中間管理職のような外見に収まっている。

「今日はその話し合いをする場だったんですね？」

「はい。急に家元に立候補した女性、おふたりと」

薫がそのことばに引っかかった。

「えっ？　もうひとりの彼女も家元候補なんですか？」

「ええ、自分は家元の娘だからと主張しています。家元には子どもはいません。彼女、滝沢恵美というんですが、家元の愛人の子なんですよ」

事務長は苦りきった顔になった。正妻の子ではない滝沢恵美を家元候補に認めたくないのだろう。

「そうですか。この席を設けたのはあなたなんですね？」

「はい。私がみなさんをお誘いしました。この店を指定したのは幸吉さんでしたが」

「彼が？　彼がこの店を予約したんですか？」

いかにも意外という口ぶりで右京が確認すると、事務長は力強く首を縦に振り下ろした。

「一度こういう店で食事をしてみたかった、とかで」

「ところで事務長、なぜ彼を家元に？　ずっと生け花から遠ざかっていたんでしょ？」

沼功は薫から目を逸らし、語気を強めた。

「家元は血筋で決める。それが黛流のしきたりなんですよ」

「彼が家元になるかどうかで、あなたの実入りも違ってくるんでしょ？　黛流の利権ってすごいらしいじゃないですか」

すかさず、薫がかまをかける。

「なにが言いたいんですか?」

「いや、別に」

薫がとぼけると、事務長は脅えたような目で刑事を見ながら弁明を試みた。

「私はね、幸吉さんを家元にすることが、黛流のためになるかと思っただけです」

「でも、本人は家元になる気はなかったんでしょ? それであなたと揉めていた?」

「だから、私が幸吉さんを殺したとでも?」

「とんでもない。ただ、動機があると言っているだけです」

薫がゆり子にしたのと同じような指摘を、沼に対しても行なった。

「ところで」右京が話題を変えた。「大曲さんが席を立ったあとなんですが、藤間さんが席を立ちましたよね?」

「そうでしたか?」

「はい、ちゃんと見ていました。その藤間さんが戻ってきたあと、あなたが席を立ちました。どちらへ行かれたんですか?」

「ああ、そう言えば、そうでした。私はトイレに行きました」

「そのとき、大曲さんは見かけませんでしたか?」

事務長は目を閉じて記憶を探ると、

「見てませんけど……電話でもかけてたんじゃないですかね」

「なるほど。電話はトイレの反対側ですからね」

右京が意味ありげにうなずいた。


「あなたも家元候補だとか？」

次に呼ばれたのは滝沢恵美だった。向こうっ気の強そうな女性の出鼻をくじこうと、薫の声には挑発するような響きが混じっている。

「だってわたし、家元の娘ですから」

恵美はすぐさま口をとがらせた。

「しかし、家元の奥さんの子どもではない」

「家元からはちゃんと認知してもらっています！」早口で不満が一気にあふれ出す。「幸吉さんが家元候補なんておかしいですよ。あの人は生け花を捨てた人だって言うじゃないですか。わたしは愛人の子と陰口を叩かれても、黛流の中で頑張ってきたんですよ。それなのに！」

「だから、彼を？」

「まさか！」

「でも、動機はありますよね」

薫がまたしても同じ指摘をすると、恵美は憤りを隠さなかった。

「そんなあ！　わたしを疑ってるんですか？」

「話を変えましょう」右京がとりなすように語りかけた。「大曲さんが席を立ったあとなんですが、藤間さんが席を立ち、そのあと沼さんが席を立ちました。そして、沼さんが戻ってきたあと、あなたが席を立たれましたね？」

「ええ、確か……そうです」

「どちらへ？」

「電話です。ちょっと知り合いに」

恵美は迷わず、即答した。おそらく男にかけたのだろう、と薫は勘繰ったが、右京の知りたいのは別の内容だったようだ。

「そのとき、大曲さんはどうしていらっしゃいましたか？」

「さあ、見てませんけど」

三

個別の事情聴取を終えた右京と薫はダイニング・ルームに戻って、手荷物調査への協力を全員に求めた。誰かが凶器を手元に隠し持っているかもしれない、と考えたのだった。ゆり子などは「こんな屈辱は初めてだわ」と怒りで声を震わせたが、取り調べには協力した。想定されたことではあったが、客の所持品の中からは凶器など出てこなかった。

「やっぱり、厨房でしょうか？」

薫の推理は妥当だった。レストランの厨房ならば、凶器になりそうなものがいくらでも転がっていそうだ。右京はしかし、慎重を期した。

「厨房にはシェフがいました」ここで、シェフの庚塚英明のほうを向き、「ですよね？　勝手に出入りして、凶器を持ち出すのは難しいでしょうね？」

「どうでしょうか」庚塚は首をひねって意外なことを言った。「案外可能かもしれません。厨房の地下に野菜室があるんです。料理中たびたびそこへ下りますから、その間、厨房は空になります」

さっそく厨房を調べようと意気込む薫を、右京が制した。そして、死んだ大曲幸吉の席に残っていたセカンド・バッグを取り上げる。

「これは大曲さんのものですよね？」

黛流の関係者三人が同時にうなずく。

「ちょっと中を拝見しましょう」

右京はバッグのファスナーを開け、中のものをテーブルの上に並べた。意外なものがたくさん詰まっていた。チョコレート、キャンディー、キャラメルの類の菓子が次々に出てきたのだ。

「甘いものが好きな方だったようですね？」

「そういえばよく飴とかチョコとか食べてました」事務長はそう証言しながら、なにか思いついたようだった。「だからか……幸吉さん、昔はもっとスマートな体型だったんですよ」

それを聞いたゆり子が嘲るように言った。

「これじゃあ、糖尿病になるはずだわ」

「糖尿病ですか？」

右京が尋ねると、ゆり子が嬉々として答える。

「ええ、彼、それで毎週病院に通ってて……」

「なぜ、それをご存じなんですか？」

右京の指摘により初めて、ゆり子は自分の失言に気づいた。そのまま固まってしまう。

「おふたりが大曲さんに会ったのは、今日が初めてでしたよね？」

水を向けられた恵美の目が意地悪な光をたたえた。

「わたしはそうですよ。あら、ゆり子さん、そうじゃなかったの？」

ゆり子の挙動が怪しくなった。目に見えておどおどしている。それを眺めていた沼が大きな声を出した。

「あ、まさか」背広の内ポケットから封筒を取り出して、「この脅迫状……」

「脅迫状？　それですか？」

「一週間前、私のところへ送られてきて……」

薫が封筒を受け取り、中の紙片を開く。ワープロ書きの短い文面が現われた。読み上げる。

「えっと、『大曲幸吉は重い病気を患っていて、黛流の家元を務めるのはとても無理です。黛流の名誉のためにも、ただちに家元候補から外すことをお勧めします』ですか」

紙片をゆり子に向ける。「この手紙、調べればわかることですよ」

追いつめられた東京本部の筆頭師範が観念した。

「だって、家元の候補になった人がどんな人物なのか気になって……」

「調べたんですね」

「ずっと生け花から離れてた人だって聞いたら、黙ってられるわけないじゃないですか」

「だからってね、あんた！」事務長がゆり子に詰め寄った。「私に脅迫状を寄越すとはどういうつもりだ！」

ゆり子が開き直って、洗いざらいぶちまける。

「書いた内容は全部本当よ。彼は重い糖尿病で、わたくし、彼が自分で注射を打ってるところも目撃したんです。インシュリンの注射！　それで、彼が通ってる病院をつき止めました」

「だから、病気をネタに私を脅迫したのか！」

事務長がすごんだが、ゆり子も負けていない。

「脅迫したんじゃないわ！　わたくしはただ黛流の将来を考えて、あんな病気持ちにハードな家元の仕事が務まるわけないでしょ！　恵美さん、あなたならわかるわよね？」

恵美は薄笑いを浮かべた。

「確かに糖尿病の人には無理かも。でも、だからって他人の秘密を嗅ぎまわるような人も、家元としての品性に欠けると思うわ」

隣のテーブルからずっとようすをうかがっていた美和子が、たまきに耳打ちする。

「絵に描いたような家元争いですね」

「ほんと、二時間のサスペンスドラマみたい」

たまきはここでもまたハプニングを楽しんでいるようだった。

同伴の女性たちの噂話など知らない右京は、いま明らかになった事実が気になっていた。

「大曲幸吉さんは糖尿病だった……ちょっと引っかかりますね」

「でも、それってお菓子の食べすぎでしょ、どうせ」

一方の薫は気楽である。

「反対でしょうね。彼は糖尿病になったからこそ、お菓子を持ち歩いていたのでしょう。低血糖になったときの緊急対策として」突然右京がギャルソンの榎並に質問した。「ところで、彼がこのレストランを利用するのは今日が初めてですか？」

榎並が戸惑いながら答える。

「ああ、初めてお目にかかりましたが。でも、私がここで働きはじめたのは半年前からなので……」

「シェフはどうです？」

「私も初めてお目にかかります」

「あの、ちょっと」榎並が申し訳なさそうに言い出した。「私は席を外してもよろしいでしょうか。二階で、みなさまの宿泊の準備を……」

「どうぞ」と右京が快諾すると、薫が「参考人を行かせていいんですか？」と訊いた。

「そんなことよりも、凶器を捜しましょう」

右京は平然として、厨房へ向かった。

厨房にはさまざまな形の調理器具があった。大曲幸吉の遺体に残った傷口は丸く、なにか円錐状のもので突き刺されたと思われた。包丁や調理鋏の類ではない。肉を焼くときに突き刺す串やアイスピックの類だと細すぎる。なかなか合致するものが見当たらない。

「シェフ、そちらのドアは？」

厨房の奥に設けられたドアを指し示して、右京が訊いた。

「ああ、あれが野菜室の入り口です」

庚塚がかしこまった調子で答える。

「なるほど、あの中にシェフが入ってしまえば、この厨房は空になりますね。ちょっと、失礼します」

右京はそう言いながら、ドアを開けて地下室に入って行った。しかし、野菜室にもこれといって凶器になりそうなものは見つからなかったようだ。すぐに出てきた右京は、コンロにかかった鍋やフライパンをのぞき込む。今日のコースディナーの作りかけや残りがそのまま放置されていた。おいしくいただいたイカの蒸し煮も残っていた。

「とてもおいしかったですよ」

右京が評価すると、庚塚の頰が緩んだ。しかし、シェフはすぐに仕事人の顔に戻り、

「この料理は微妙な火加減が必要なので、ずっと付きっきりじゃないと、いけないんです」

「付きっきり……つまり、このお料理の間はずっと、ここにいらっしゃった？」

「ええ、そうです」

「だとすると、シェフがこの料理にとりかかる前、ダイニングに出て行ったときしか、厨房から凶器を持ち出すことはできない……」

確認するように薫が言うと、上司はそれに同意した。

「犯人が厨房から凶器を持ち出したのだとしたら、それが可能な人物はおのずと限定されますね」

このとき右京の頭にあることが閃いた。薫も自分の思いつきを口にする。

「右京さん、シェフがわれわれと一緒にいたとき、ダイニングから出て行ったのは……」

「シッ！」右京が人差し指を唇に当てた。そして、庚塚に向かって、「申し訳ありませんが、ダイニングのほうでお待ちいただけますか？」

庚塚は事情を察し、頭を下げて厨房から去って行った。薫はそれを見届けると、

「配慮が足りなくて、すみません。話を続けるなら、該当するのは、大曲さんと藤間さんだけです。ということは、犯人は……」

右京が再び、薫に待ったをかけた。

「きみの言いたいことはわかりましたが、もうひとり考えられますよ」

四

　ダイニング・ルームでは、関係者が無言で一堂に会していた。ゆり子は居心地が悪そうにテーブルの上で頬杖をつき、沼はせわしなく室内を歩きまわっている。そんなふたりに無関心な視線を向けながら、恵美が言った。

「考えてみれば、あの人もかわいそうよね。これでもう家元にはなれないんだから」

　そこへ悠然とした足取りで右京が入ってきた。

「そうでしょうか。大曲さんは本当に家元になりたかったのでしょうか？」

「だから、今日来たんじゃない」

「しかし、藤間さんと沼さんは、彼が家元になりたくなかったことをご存じでしたよね？」

「そうなの？」恵美が驚く。「じゃあ、なんで今日ここに？」

　ゆり子が顔を上げ、沼をにらみつけた。

「事務長が無理に誘ったんじゃないの？」

「無理にって、そんな」事務長が反論する。「この店だって、幸吉さんが来たいって言ったんだ」

「そこです！」右京の瞳が光った。「このお店を予約したのは大曲さんでしたね？」

「ええ、一度来てみたい、と」

「しかし、それは少し無理がありませんか？　なんの根拠があるんです？」

「バカな。私が嘘を言っていると？　なんの根拠があるんです？」

事務長がつっかかってきたが、右京はそれをかわす。

「いいえ、嘘を言ったのは彼のほうです。ここは半年前に予約が必要なんですよね？　つまり、彼がこの店に来ることは半年前には決まっていたんです」

「え？」ゆり子が矛盾に気づいた。「半年前ってまだ家元が生きてたじゃない！」

「家元相続の話し合いは、彼がこの店に来るための口実だったのでしょう。こうは考えられませんか？　実は彼はこういうお店をよく利用するような人だった」

「まさか。あんなにマナーにも無頓着な人が！」

「そうですか？　みなさんが入ってきたとき、椅子の左側から座ったのは彼だけでしたよ。それも、女性おふたりが先に座ったのを確認してから座っていました。かなり厳格で正しいマナーです」

椅子の座り方など気にせずに他人のマナーを責めたゆり子は、思わず顔を赤らめた。

「でも、それは単なる偶然かも」

「みなさんはグラスバニーユとはなにかおわかりですか？」

誰も答える者がいないのを確認して、そばにいたシェフに振る。

「教えていただけますか？」

「はい。バニラアイスクリームです」

「榎並さんがデザートのお薦めとしてグラスバニーユの名前を出したとき、大曲さんはそれを正確に理解した受け答えをしていました。つまり、彼はフランス語ができるか、もしくはフランス料理に詳しいか、そういう人だと思います」

沼はまだ右京の弁を半信半疑に聞いていた。

「そんな、幸吉さんが……信じられないな」

「彼が香水を気にしていたのも気になりました。藤間さん、そんなに強い香水はつけていらっしゃいませんね？」

「ええ、だから嫌味を言う人だなと思って」

「それだけ香りに敏感だったのでしょう。生け花をやめてから太ったというのも引っかかりました。おそらく彼はそれからはじめたのでしょう」右京は次のことばを発するのに、声を張った。「インスペクターという仕事を」

黙って興味津々に事態を見つめていた美和子が、思わずグルメガイドに目を落とした。

「あの人がインスペクター？」

「なんですか、そのインスペクターって？」

沼の問いには美和子が答えた。冊子を掲げて、

「こういうグルメガイドの覆面審査員です」

「一日に何軒もレストランを回る仕事ですから、糖尿病にもなった。そう考えれば理解できます」右京が左手の人差し指を立てる。「基本的なマナーは知っているのに、あえて対極にいる人を演じたのはなぜか？」

納得した美和子がさかんにうなずく。

「インスペクターの身分を隠すためか。家族にも知られたらいけない仕事だからね」

恵美が重要な点に気づいた。

「じゃあ、彼を殺したのはいったい誰？」

右京が意外な人物を指差した。

「それは庚塚さん、あなたですね？」

「そ、そんな、なぜ私が……」

「インスペクターと強い利害関係があるのは、レストランのオーナーシェフですからねえ」

「私はあの方がインスペクターだなんて、知りませんでした！」

必死の形相で、庚塚が言い返す。

「そうでしょう。しかし、あなたはそれを今日知ってしまった。彼が電話をかけているときですね。そして、その電話こそが彼が殺された原因だった。違いますか？」

シェフは黙秘した。その額にはうっすらと汗が浮かんでいる。

「『エトワール』に確認すれば、わかることなんですよ」

右京が迫ると、庚塚がうつむいた。

「なにか証拠があるんですか？」

「凶器があなたの犯行であると物語っています。亀山くん！」

ずっと待機していた薫にようやく出番が回ってきた。薫はワゴンを押しながらダイニングに登場した。ワゴンの上には白いナプキンがかけられている。全員の目が集まるのを確認して、芝居がかったしぐさでナプキンを取り払った。

「これが凶器？」

たまきが叫ぶのも無理はなかった。ワゴンの上に載っていたのは冷凍されたヤリイカだったのだ。

「本当にこんなもんで人が刺せるんですか？」

事務長の疑問は織り込み済みだった。薫は黙ってワゴンの下段から冬瓜《とうがん》を取り出すと、それをテーブルの上に載せた。そして、今度は冷凍イカを右手で強く握り、振りかぶった。力いっぱい振り下ろすと、ずぶっと鈍い音を立てて、イカは冬瓜に深々と突き刺さったのだった。

「この凶器、被害者の傷の形とちょうど合うんですよ」

「シェフ！」

右京が促すと、庚塚は顔を歪めて語りはじめた。

「殺すつもりなんてなかった……。イカを料理しようと手に取ったとき、廊下の電話の声が気になりました。英語が聞こえてきたからです」

「英語？」と、美和子。

「万が一、人に聞かれてもわからないように大曲さんは英語を使ったのでしょう。そして、あなたは英語が理解できた」

シェフが悄然とうなずく。

「あの方は英語で、『この店の味は落ちている。他のインスペクターと同じ意見です。私も星をひとつ下げるのに異存はない』という主旨のことをしゃべっていました。それからは頭が真っ白で、気がつくと手に持っていたイカを突き立てていました。とりあえず遺体を目立たないところに運んで……」

「そのあと、凶器を処分したんですね？」

それは相棒も知らされていなかったらしく、薫が不審そうに訊く。

「このイカじゃなかったんですか？」

「違うでしょう。そもそも凶器に気づいたのは、亀山くんのおかげなんです」

この上司はいったいなにを言っているのだろう。薫はいぶかしく思った。そして、突然悟った。なぜ、自分のイカ料理だけ、あまりおいしくなかったかを。

「亀山くんの舌を信じました。シェフ、凶器を料理しましたね？」

証拠隠滅のために料理されたイカを、自分は食べてしまったらしい。恨みがましい思いで、薫はテーブルに置き残された皿を見た。

「気が動転していて……あのイカは最後に鍋に入れたので、煮る時間が不十分でした」

「三ツ星シェフがそれではいけませんね」

そのことばがこたえたのか、庚塚はがっくりとうなだれた。

「二十年です。星を取るまで二十年。そして、やっとこの店で三ツ星を取って……」

「そんなに大切なんですか、星って？」

たまきが悲しそうな顔になった。美和子がそれに答える。

「そうかもしれませんね。フランスで三ツ星だったシェフが星をふたつに減らされて、自殺した事件もありますから」

「大曲さんがみなさんをこのレストランに誘ったのは、家元問題を円満に解決するためだったのかもしれませんね。おいしい料理は人の心を和ませますから」

「わたしたちいったい、なにやっていたのかしら」

ゆり子がつぶやいたひと言が、他のふたりの思いも代弁していた。

そこへなにも知らない榎並が下りてきた。

「あの、お部屋のご用意ができましたが」

右京がギャルソンに要請した。

「ああ、私は庚塚シェフと同じ部屋でお願いします」

「え、でもシェフはこの近くに自宅が……」

「最後の夜です。ご自分のレストランでお休みになりますよね？」

右京の心配りを、庚塚はありがたく受け取った。

「そういうことになりましたから」

右京が言うと、たまきはにっこり笑う。

「しょうがないですね。でも、雷も止んだようですから、美和子さんと一緒に泊まります」

「あの、俺はどうすれば……？」

薫のことばは無視された。

いつの間にか雨も上がり、夜空には星が浮かんでいた。右京が窓を開け、星空を仰いだ。

「ここからはこんなにきれいに星が見えるんですね」

「初めてです。ここから星を見るなんて」庚塚英明がぽつんと言った。「きれいなんですね、星って」

第三話
「消える銃弾」

一

亀山薫は射撃練習が嫌いではない。

神経を集中して標的を狙う瞬間の緊張感、そして見事撃ち抜いたときの充足感。たまに大きく的を外してしまい敗北感に苛まれることもあるが、おおむね薫は射撃の腕に自信を持っていた。

「右京さんはやらないんですか？」

ひととおり訓練の終わった薫が、ヘッドフォン型の防音ギアを外しながら、上司に訊いた。薫の上司、杉下右京は射撃練習場の控えのベンチでのんびり紅茶を啜っている。

「銃は嫌いです。銃を使えば血が流れるし、相手に致命傷を与えます。警察もいつまでこんな野蛮で旧式な武器を使っているんでしょうね」

薫は変わり者の上司の発言にあきれつつ、

「またそんな……射撃練習は俺ら警察官の義務なんですから。撃たないんなら、俺が右京さんの分まで代わりに撃っときましょうか？」

「きみはいやに熱心ですね」

「ま、いつ一課に呼び戻されるかわかりませんからね」

刑事部捜査一課といえば、警視庁の中でも花形部署である。薫はいつか返り咲きたいと願っていたのだ。

「ときに、消えた銃弾の話は知ってますか?」

「なんですか、それ?」

「今日の未明に発生して、現在、捜査一課がやっきになって取り組んでいる事件ですよ。あ、ぼくの分の銃弾、きみが代わりに撃っておいてください。それじゃあ」

右京はそう言い残すと、足早に射撃練習場から去って行った。

それは奇妙な狙撃事件だった。

被害者は四十三歳の雑誌の記者、有賀透。至近距離から銃で胸を撃たれていた。奇妙なのは、現場から硝煙反応が出なかった点、さらに被害者の体内から弾丸が見つからなかった点だった。弾が身体を貫通したのなら、現場のわかりづらい場所に紛れ込んだ可能性もあるが、遺体に射入口はあっても射出口は見当たらなかった。つまり、弾丸は体内に留まっているはずなのに、レントゲン写真にはその影さえ写っていなかったのである。

銃弾が見つからなければ、線条痕を調べようがない。銃は弾丸を回転させて真っすぐ飛ばすために、銃筒の内側にライフリングというらせん状の溝が刻んである。発射された銃弾にはこの溝のもようが残るが、それを線条痕という。線条痕は銃によって異なるので、発射した銃を特定する手がかりになる。ところが、この事件では銃弾そのものが消えてしまっており、犯行に使われた銃を捜す手がかりもないわけだ。

右京は奇妙な事件が好きだった。当然のようにこの狙撃事件にも興味を抱いた。そして、独自に捜査をはじめた。

射撃練習場を出た右京は、町工場の立ち並ぶ下町のうら寂しい一角を訪れた。目的地は苫篠機械という小さな鉄工所である。その鉄工所をひとりで切り盛りしている苫篠武から話を聞こうと考えたのだ。

到着したのは、もうじき正午という時間帯だった。建てつけの悪い引き戸を音を立てて開けると、旋盤を回していた男が顔を上げた。無精ひげを伸ばし、髪が乱れている。もっさりとした印象のこの男こそ、右京の訪問相手だった。

「杉下さん……」

客の姿を認めるのと同時に苫篠が迷惑そうな顔になった。歓迎ムードはとても期待できそうにない。とりあえずにこやかに挨拶する。

「お久しぶりです」

苫篠武は過去に過激派として活動していた。彼はさまざまな銃を密造する担当であり、その世界では名手とたたえられていた。ある時期、彼の改造した銃が、市民生活を混乱に陥れたことがあった。警察もさんざん翻弄されたが、結局は右京の活躍により検挙できたのだった。今回の狙撃事件には発射の痕跡も弾丸も残さない「魔法の銃」が使用されたと知り、右京はまず苫篠を思い出したのである。

苫篠は工場に隣接している居住スペースに右京を招き入れた。狭い台所と八畳間がひとつ。居住スペースといっても、たったそれだけしかない。台所に置かれたダイニングテーブルの席につくと、さっそく右京が用件を切り出した。ひととおりの説明を聞いて、苫篠が口を開いた。

「消える銃弾……」

「氷か岩塩を使ったんでしょうかね」

「推理小説ならいざ知らず、氷も岩塩も発射の衝撃で粉々に砕けてしまいますよ」

苫篠は、アルマイトのやかんで沸かしたお湯を、急須に注いだ。

「なにか銃弾を消す方法はありませんかねえ。あなたのようなユニークな発想をする人なら、なにかヒントでも思いつくのではないですか?」

「改造銃からはもう足を洗いました。謎めいた狙撃事件のたびに疑われるのは迷惑です」

そろいものでない二客の湯呑みに番茶を淹れ、大きいほうを右京に差し出す。

「先に言っときますが、アリバイはありません。その時間、ひとりで作業してましたから」

　右京は息を吹いて、湯呑みの中身を冷ますと、

「あなたを疑っているわけではありません。アドバイスが欲しいだけです」

「杉下さん、私の立場も考えてくださいよ……」

　苫篠が黙り込んだ。スーツ姿の刑事と作業着の職人が交互にお茶を啜る音だけが響く。沈黙を破ったのは、勝手口の木戸が開く音だった。それに続いて、小さな声で女性の口ずさむ歌が聞こえてきた。昔のフォークソングのようだ。クラシック以外の音楽に疎い右京がそんなことを思っていると、若い女性がおずおずと顔をのぞかせた。苫篠の姿を認め、安心したような表情になる。

「おじさん、お弁当持ってきたよ」

　女性はふた折の弁当を手に持っていた。苫篠が立ち上がり、受け取りに行った。

「あ、晴美ちゃん、いつも、ありがとう」

　昼食を届けてもらったのはわかるが、なぜふたつなのだろう。そう考えながら右京が観察していると、苫篠はふすまを開けて、和室に入っていく。ふすまの隙間から和室の隅に置かれた仏壇が見えた。若い男性の写真が飾ってある。確か苫篠にはひとり息子がいたはずだったと思い出す。苫篠は弁当をひとつ陰膳にして供えると、台所に戻ってきた。

「孝一くん、でしたよね？　どうかなさったんですか？」

右京が尋ねたが、苫篠はその問いには答えなかった。

「もういいでしょう。帰ってください」


その頃、薫は捜査一課に顔を出していた。右京の言った消えた銃弾というひと言が気になり、探りにきたのだ。幸い犬猿の仲の伊丹は留守のようだ。後輩の芹沢慶二から情報を仕入れるチャンスだった。

「芹沢くん、来週、昇進試験受けるんだってね？」

後ろからそっと近づいた薫は、後輩の肩を揉んだ。途端に芹沢がもだえる。

「やめてください！　寝違えて、首が回らないんですから」

「おお、それは悪かった」

そう言いながら、後輩の首をひねる。「あいたたあっ」と、芹沢が大げさに叫んだ。

「消える銃弾の話なんだけどさ……」

ようやく薫が本題を持ち出したとき、折悪しく部屋のドアが開いた。伊丹憲一と三浦信輔が外回りから帰ってきたのだった。

「特命係の亀山！」

いじめがいのある遊び相手を見つけたガキ大将のように、伊丹の目が輝いた。

「特命係は余計だって言ってんだろ！」

すぐに薫は言い返したが、ここは相手のホームグラウンドであり、分が悪かった。

「なにこんなところでウロチョロしてんだよ。おまえんとこは下の階の隅っこの日当たりの悪いじめじめっとしたかび臭い窓際だろうが！」

「いちいち細かく描写するな！」

「芹沢、こいつに捜査資料見せたりしてないだろうな？」

三浦が芹沢に確認する。芹沢は首筋を押さえたまま、「とんでもないですよ」と訴えた。

「おまえ、まさか手柄立てて一課に舞い戻ろうなんて考えてんじゃないだろうな？」

伊丹に図星を指された薫は、笑ってごまかしながら部屋を出た。

薫が階を下り、組織犯罪対策部の一番奥に位置する、プレートだけは新しいものの中は妙に薄暗くて風通しの悪い特命係の部屋に帰ってくると、すでに右京が戻っていた。一心に資料に目を通している。

「あれ、これって？」

「消えた銃弾事件の捜査資料のコピーです」

平然と言ってのける。

「どうやって手に入れたんですか？」

「ぼくには友だちが多いですから」

要するに鑑識課の米沢守から回してもらったのだろう。薫には計り知れない理由により、右京と米沢はたいへん仲がよかった。右京が捜査中の極秘情報をしばしば知っているのも、このふたりの間にホットラインが引かれているからなのだ。

資料を読んでいた右京が薫に言った。

「被害者の有賀さんは、あまり評判のいい記者ではなかったようです。ゴシップ記事や暴露ネタで、よくトラブルになっていたようです」

「じゃあ、恨みを買って殺されたんでしょうか？　これは？」

いま上司が目にしているのは、手書きの判読しにくい資料だった。

「有賀さんの取材メモです」

そう答えた右京の目が一点を見つめたまま、動かなくなった。人名がいくつか書かれている部分である。

「どうしたんですか？　知っている人でも？」

「苫篠孝一……ちょっと気になります」

その夜、薫はマンションで同居人の奥寺美和子に頼みごとをした。美和子は新聞記者なので、同じように記者だった有賀透の書いた記事を調べることができるだろうと考えたのだ。そう頼むと、たちまち美和子の顔色が変わった。

「あんな人と一緒にしないでよ！　ああいう人権を無視したゴシップ記事を書く人がいるから、わたしたち善良な記者まで変な目で見られるのよ！」

「わかってるさ。美和子がそんな記者と同じじゃないことはよーくわかってる。だから、お願い、ね？　今日はなんだかとてもきれい」

薫がなだめすかしておだてたおかげで、なんとか美和子は承諾した。

二

翌日、特命係のふたりはトワダヒデシ建築デザイン事務所を訪れていた。ふたりは独自に有賀の殺人事件を調べることにしたのである。十和田秀志も有賀の取材メモに名前が載っていた人物だった。

目指す建築デザイン事務所はオフィスビルのワンフロアを専有しているはずだった。オフィスビルに入ろうとした薫が、エントランス前の広場で足を止めた。そして、右京を呼び止める。

「あれ、タッちゃんじゃないですか？」

タッちゃんというのは、タツミ開発というリゾート開発会社の企業マスコットである。

以前、このマスコットの着ぐるみを着た犯人による窃盗事件に関わった経験があったので、薫にも見覚えがあった。タッちゃんは広場で子どもたちに風船を渡していた。

「そのようですねえ。このオフィスビルにもタツミ開発の宣伝部門が入っているようですよ」

ビルの入り口に掲げられた案内板を見ながら、右京が言った。

「トワダヒデシ建築デザイン事務所は三十四階のようです。行きましょう」

高速エレベーターであっという間に三十四階まで昇る。トワダヒデシ建築デザイン事務所は、総ガラス張りの斬新な設計のオフィスだった。さすがに建築デザイン事務所である。受付で用件を述べると、しばらくして、十和田秀志が苦々しい顔をして現われた。これだけ大きな建築デザイン事務所を運営しているだけあって、十和田は押し出しの強い、ある種の威厳を身につけた人物だった。蝶ネクタイが嫌味にならずに似合う男など、日本にはそうたくさんはいないだろう。

応接室に落ち着いたあと、うんざりしたように十和田が口を開いた。

「またですか。その件に関してなら、すでに一課の刑事さんにお話ししました」

「申し訳ありませんが、もう一度話していただけませんか?」

右京が丁重な物腰で頼むと、十和田はため息をついた。

「確かに、有賀さんから苦篠くんの件に関して、取材の申し込みはありました。いやしかし、どうもね、目的がはっきりしないんで、お断りしたんです」

「苫篠孝一さんとこちらとは、どういうご関係ですか？」

「苫篠くんは新進気鋭の建築デザイナーです。極めて優秀な青年でね。うちに来てもらうことになっておりました」

「権威のある新人デザイン賞を取られたそうですね」

「そのとおり」十和田は鷹揚にうなずくと、一変して眉間にしわを寄せた。「ところが、あんなバカなまねをしでかして……」

「バカなまね？」

「知らないんですか？　自殺したんですよ。うちに来る直前に」

右京の脳裏に、苫篠武の自宅で見た仏壇の遺影が蘇る。そんなことは露ほども知らない薫が質問する。

「自殺の理由は？」

「さあ、それは……将来有望な人材だっただけに残念です」

「お心当たりはまったくありませんか？」

「ありませんね。とにかく、うちは有賀さんの事件とも、苫篠くんの自殺ともいっさい無関係ですよ」

十和田がそう言いきったところへ、華やかなドレスを着た美女がノックして入ってきた。

「お父さん、そろそろ出かけないと、パーティーに遅れるわよ」

「ああ、ケイコ、もうそんな時間か。それでは、これで失礼しますよ」

「パーティーですか？」

去り際に薫が声をかけると、大物デザイナーは肩をすくめた。

「付き合いのある国会議員の……ま、政治家の金集めですよ」

ふたりは苫篠孝一の自殺現場を見てみることにした。現場は都心から車で二時間ほど走った山の中だった。そこへ向かう途中の車中で、右京は情報を共有化した。苫篠孝一の父親、武の話を明かしたのだ。

「つまり、苫篠武っていう人なら、有賀を殺した魔法の銃を作れるかもしれない？」

「あくまで、可能性ですがね」

やがて車は、都会の喧騒の届かない山間部のさる渓谷に到着した。地元の駐在所の警察官に聞いたところ、孝一は川へ身投げしたらしい。

案内してもらうと、現場は渓谷にかかる吊り橋の上だった。実際に渡ってみると、身がすくむほど高い。その吊り橋の中ほどに靴と携帯電話、遺書が置かれていたという。状況から見て、孝一はそこから真下を流れる川へ飛び降りたようだ、と警官は言った。

しかし、遺体は上がらなかった。はるか下に見える川は水量も豊富で、かなりの急流である。これならば、遺体が押し流されて行方不明になっても不思議ではない、と薫は思った。

帰りの車中では、薫が自分の推理を語った。

「読めましたよ。記者の有賀は苫篠孝一について調べていた。そこでなにか孝一に不利な事実を見つけ、暴露記事を書いた。それが原因で孝一は自殺し、父親の武がその復讐をした。苫篠武はかつて改造銃のエキスパートだったんでしょ」

「可能性はありますね」

「ありありですよ」

自信満々の部下に向かって、右京が妙な提案をした。

「お腹空きませんか？　苫篠さんの工場へ行く前に、ちょっと弁当屋に寄りましょう」

「うまいんですか、そこ？」

「さあ」

薫は不審に思ったが、この上司の気まぐれはいまにはじまったわけではない。言われるとおりに車を回した。

いかにも下町で代々親しまれてきた弁当屋さんという感じの店先で車を停める。青山弁当店という看板がかかっている。右京は車を降りて、揚げたてのコロッケを四つ注文した。見慣れない男たちをじろじろと眺めていた娘は、相手が客だとわかると鼻歌交じりにオーダーに応じた。代金と引き換えにコロッケを受け取り、それを物欲しそうな薫に渡して、右京は娘に話しかけた。

「失礼ですが、苫篠さんの工場でお会いしましたね。覚えてらっしゃいますか？」

娘は脅えたような表情になって記憶を探ったが、目の前のスーツの男に見覚えなどなさそうだった。

「苫篠さんに弁当をふたり分届けていらっしゃいましたよね？　苫篠さんはあなたのことを晴美ちゃんと呼んでいた」

そのひと言が記憶回復のきっかけになったようだ。娘の顔がぱっと晴れた。

「苫篠さんはひとり暮らしのはずですが、もうひとつはどなたの弁当だったのですか？」

「孝一くんの」

嬉しそうに晴美が言ったせりふを薫が聞きとがめた。

「孝一くんの？　だって、苫篠孝一くんは死んだはずじゃ？」

晴美はなにをバカなことを言っているのだ、という顔で薫を見つめ、

「死んでないよ！」

そう抗議する口調は真剣そのものだった。

「それは誤解ですよ」

孝一に弁当を届けたと青山晴美が言っていた旨を伝えると、開口一番、苫篠武は主張した。

「誤解？」

「私はひとり分しか頼まないんですが、晴美ちゃんが孝一の分まで持ってきてしまうんですよ」

「どうしてですか？」

「あの子は孝一が死んだことがわかってるんだか、わかってないんだか……せっかくなので、ああして、陰膳にしているんです」

武が顔を和室のほうへ向けた。仏壇が正面に見え、今日もまた弁当が供えられているのがわかった。

「晴美さんと孝一くんとは親しかったんですか？」

「狭い町内ですから、昔からの知り合いですが、特に親しかったわけではないと思います。朝晩、挨拶するぐらいだったと……」

ここで、薫が遠慮がちに話題を変えた。

「息子さんはどうして……その……」

「自殺したか……ですか」武は突然髪の毛をかきむしった。そして、高ぶる感情を押さえつけるようにして言う。「わかりません。バカなやつです」

その夜、薫がマンションに帰ると、美和子が約束を果たしていた。殺される前に有賀が書いた記事を、いろいろと調べてきてくれたのだ。「持つべきものは美人の新聞記者」と恋人を適当に褒めそやした薫は、さっそく記事を調べてみた。

欲しい記事はすぐに見つかった。「若手天才建築デザイナーの父親は元過激派」と題するゴシップ記事が混じっていたのである。苫篠孝一の父親、武の過去を扇情的に書き連ねた内容だった。

三

翌日、右京と薫は再び十和田秀志に面会を求めた。ただし今回は、あまり他の人の耳には入れないほうがいい内容なので、と相手を外部のカフェまで呼び出した。十和田はあからさまに不機嫌そうな形相だった。

「しつこいですね、あなた方も。で、なんです？　内密に聞きたいことって」

昨夜美和子が持ち帰ってきた記事を薫が広げた。

「この記事、ご覧になったことがありますか？」

「ないですね」と、十和田が即答する。

「ホントに？」

「こんなゴシップ記事にいちいち目を通しているほど、暇じゃないんでね」

「先日、事務所にお邪魔したとき、模型がありました。あれは政府関係機関の建物の模型ですよね」

淡々とした口調で右京が指摘する。

「それがなにか？」

「苫篠武さんはかつて過激派のメンバーでした。その息子の孝一くんを政府関係の仕事が多いあなたの会社で雇うとは思えないんですよ。特に、この記事が出たあとでは」

続いて、薫が電話番号らしきものが書かれたメモを掲げてみせた。

「苫篠孝一が自殺をする前、最後に携帯電話をかけた相手です。番号に心当たり、ありますか？」

ここまで無関心をよそおっていた十和田の目が少し泳いだ。

「そう、あなたのお嬢さん、ケイコさんのです。ふたりは婚約寸前で、幸せの絶頂だったそうですね。なのに、なぜ彼は自殺したんでしょう？」

「それはこんな悪意のある記事を書かれたからでしょう」

「この記事だけで、自殺までするでしょうか？」

右京が十和田の目を凝視した。しばらくの間、建築デザイナーも目を合わせていたが、ついに耐え切れなくなって脇に逸らした。

「確かに彼の移籍の話は私が白紙に戻しました。娘との付き合いもやめさせた」しおらしく反省したかと思うと、突然開き直る。「娘を犯罪者の息子と一緒にさせられますか？　だから、なんだって言うんですか？」

「苫篠孝一はそれで自殺を……」

「あなた方は殺人事件を調べているんでしょう？　彼の自殺は関係ない！」高飛車に言い放つ。「今後いっさい、私にはつきまとわないでもらいたい！」

憤然と席を立った十和田は一分も経たないうちに自分のことばを後悔するはめになった。カフェを出た直後、十和田は何者かにより射撃されてしまったのである。

すぐに異変に気づいたふたりが救急車を手配し、十和田は病院に担ぎ込まれた。腹部に射撃を受け重篤な状態だったが、すぐに緊急手術が行なわれたおかげで一命はとりとめることができた。

病院に待機していた右京は、医師からその報告を受け、胸をなでおろした。同時に、もうひとつの報告が右京の頭を大いに悩ませた。今回もまた消える銃弾が使われていたのである。貫通していないにもかかわらず、十和田の体内に銃弾は見当たらなかった。

その間、薫は苫篠機械に急行した。息せき切って駆けつけ、引き戸を開けると、そこには苫篠武と一緒に伊丹と三浦がいた。改造銃の犯歴者をしらみつぶしに当たって、事情聴取をしていたらしい。それが苫篠武に幸運をもたらした。十和田が狙撃された瞬間は、事情聴取を受けているさなかだったのだ。

捜査一課は混迷していた。

十和田襲撃の報を受け、すぐさま捜査方針を変更した。被害者の有賀透と十和田秀志は同じ銃で狙われたとはっきりしている以上、ふたりと関連のある苫篠に容疑を絞ることにしたのだ。ただし、奇しくも伊丹と三浦によって、苫篠武のアリバイは鉄壁だった。となると、考えられる容疑者は、父親よりも直接的に被害者たちとかかわりの深い、もうひとりの苫篠……。捜査一課は、苫篠孝一がまだ生きていると推測した。父親から銃器改造技術を受け継いだ息子が、どこかで生き延びて犯行を重ねていると考えて、捜査を開始した。

十和田秀志の娘、ケイコは脅えた。父親の命に別状がなかった幸運を喜ぶよりも先に、恐怖が彼女を支配していた。

犯人が誰であれ、有賀の次に父親が襲われたという事実は、犯行の動機として、あのゴシップ記事が関係していると考えて間違いないからである。次に命を狙われるならば自分であろう。そう心配したケイコはボディーガードを雇う決心を固めたのだった。

四

亀山薫は十和田ケイコを張っていた。

薫も苦篠孝一がまだ生きているのではないかと考えていた。そして、自分を失意のどん底に叩き込んだ恋人に復讐する機会をうかがっているのではないか、と。

トワダヒデシ建築デザイン事務所の秘書室長を務めている彼女は、社長である父親の入院中も会社に出勤していた。ひと目でボディーガードとわかる屈強な男を何人も従えているのが大仰な気がしたが、彼女としてはそうでもしないと気が休まらないのだろう。

苦笑しつつ、ふとオフィスビルの脇の道路に目をやると、見慣れた顔があった。後輩の芹沢が車の中で張り込んでいる。誰と組んでいるのか知らないが、いまは芹沢ひとりが助手席からケイコの後ろ姿を見つめている。なかなかの美人なので、見惚れているのかもしれない。

薫はそっと覆面パトカーに近づき、いきなりドアを開けて後部座席に乗り込んだ。

「一課の刑事ともあろう者が、こんなに油断していたんじゃ、だめだな」

「亀山先輩、勘弁してくださいよ!」

「おまえ、こんなところでなにをしてた?」

　後部座席から後輩の首を絞める。

「苦しい。放してください。苫篠孝一が十和田ケイコを狙うかもしれないから、見張ってるんですよ」

「なに、それは俺のネタだぞ。一課め、俺の手柄を横取りする気か!　なにか新しい事実でもわかったのか?」

　一旦緩めた両手に再び力を込めると、芹沢がギブアップした。

「有賀はしつこく十和田親子に取材を申し込んでいたようです。ヤバイと思った父親は孝一のヘッドハンティングの話をご破算にし、娘も『だまされた』と相当激しく孝一をなじったみたいです」

「孝一は自殺したように見せかけて、自分を陥れた人間に復讐をしている、という読みだな。俺のにらんだとおりだ」

「だから、それは一課の方針ですって」

「なんだと!」

　またしても薫が力を入れようとすると、邪魔が入った。数人の子どもたちがウィンドウガラス越しに水鉄砲を浴びせてきたのだ。口々に「悪者だ!」「やっつけろ!」などと叫んでいる。最近の水鉄砲はポンピングによって水圧を高めてから発射するので、水といっても侮れない威力がある。

「このクソガキどもが!」

子どもたちに悪党と間違われたれっきとした特命係の刑事は、この瞬間、あることに気づいた。


「圧縮空気ですよ、右京さん!」

ケイコの見張りは芹沢に任せて、特命係の部屋に戻った薫はまず結論を言った。瞬時に部下の発言の主旨を理解した右京が褒める。

「きみとは思えない発想ですね」

「はい。水鉄砲からヒントを得ました」

「ちょうどいまから、その実験に行くところです」

「え?」

せっかくの薫の発見も、変わり者の上司を出し抜くことはできなかったようだ。正確に言えば、変わり者の上司と、その変わり者と心が通じ合っている鑑識課の米沢守のふたりを出し抜くことはできなかった。

鑑識課では、坊ちゃん刈りの米沢がすでに実験準備を整えて待っていた。自転車のタイヤの空気を入れたり浮き輪を膨らませたりするのに使うコンプレッサーと、内側にライフリングを刻んだ鉄パイプをつないだだけの、シンプルなエアガンが部屋の中央に設置されている。

「この銃ならば、硝煙反応は出ません」

ひととおりしくみを解説した米沢がそうしめくくると、薫が鉄パイプを指差して質問した。

「らせんを刻むのは難しくないの？」

「簡単な技術で、ＯＫです」

「で、弾丸は？」

「消える銃弾の謎はまだわかっていないので、今回は通常の銃弾の弾頭を使用します」

米沢が鉄パイプに弾頭を詰め、コンプレッサーのスイッチを入れた。作動音がして空気が圧縮される。準備が整ったようだ。米沢が引き金を引くと、圧縮空気が鉄パイプに送り込まれ、すごい勢いで弾頭が飛び出した。そのまま正面に置かれたスイカを打ち抜く。粉々に砕けて赤い汁を撒き散らしたスイカが、まるで狙撃された人間のように見えた。

「火薬を使わなくとも、殺傷能力は十分にあります」

米沢が自慢げに語る。

「いや、だけど、このコンプレッサーをね」薫が腰をかがめて両手で持ち上げる。「おいしょっと……持ち運ぶのは大変ですよ」

その質問は米沢には想定内だったようだ。

「車を使えば簡単です。窓を少し開けて標的を狙えば、目立たず狙撃できますから」

「消える銃弾の謎も、ぜひ解いてください」

右京が要請すると、米沢は嬉しそうに笑って請け合った。


「お忙しいところすみません」

内心ではすまないとなど思っていないのが見え見えの慇懃無礼な態度で、右京が頭を下げた。苫篠武が憤りを声ににじませて答える。

「杉下さん、納期が迫ってるんですよ。邪魔しないでください」

「あなたの技術をもってすれば、魔法のような銃も可能でしょうね？」

右京がかまをかけても、苫篠は顔も上げずに作業を続けている。薫が大声で問い質す。

「作ったのはあんたか？　それとも孝一か？」

無視を続ける苫篠を、右京が矢継ぎ早に追いつめる。

「三カ月前にあなたは小型のエア・コンプレッサーと特殊なドリルを買いましたね？　それらはどこにありますか？　ドリルは鉄パイプに溝を刻むため。違いますか？」

「苫篠さん、殺人を止められるのはあんただけなんだよ！」

最終的には薫のこのせりふが効いたようだった。苦篠は視線を力なく特命係の刑事たちに向けると、ぽつりとつぶやいた。

「私が作りました」

「やっぱりそうか！」

「でも、盗まれたんです」

「盗まれただと！」

この期に及んでつまらぬ言い逃れは許さない。そんな気迫で薫が声を荒げたが、苦篠の表情は真剣だった。

「嘘じゃない。本当です。孝一は私のせいで、私が過去に犯した罪のせいで……」

「有賀さんが書いたあの記事が発端ですね？」

右京の質問に苦篠は肩を落としてうなずいた。

「十和田親子は孝一を冷たく見捨てました。どこにもぶつけようのない怒りを静めるために、改造銃を作りました。あの銃を使うつもりだったかどうか、自分でも本当のところはわかりません。でも、私が最終決断をする前に、誰かに盗まれてしまったんです」

「銃弾も一緒に盗まれたんですか？」

苦篠は首を左右に振りながら、

「銃弾は作りませんでした」

薫が一番確認したい疑問をぶつけた。

「孝一は生きているんだな？」

「わからない！」苫篠が叫ぶ。「本当にわからないんです。孝一が生きてるんだったら、帰ってきてほしい……」

心の底からの父親の願いだった。この訴えは本音だろう、と右京は思った。そのとき、薫がホットラインとからかっている、鑑識課の米沢からの電話が入った。

「どうしました？」

――まだ、予備的検査の段階なんですが、有賀の遺体から人間のものではないＤＮＡが検出されました。

「人間のものではない？」

――ええ、おそらくなにかの動物の……。

大発見にも興奮していない米沢の落ち着いた声を聞くうちに、右京の頭にもうひとりの容疑者が浮かんできた。

五

右京は薫をせきたてた。そのおかげで、青山弁当店にはものの数分で到着した。店にいた主人に警察の身分を明かすと、右京がただちに質問した。

「晴美さんはどちらへ？」

　善人そうな主人は事態が飲み込めず、たじたじとなりながら、

「べ、弁当の配達ですけど……あの、あの子がなにか？」

「晴美さんの身の上にかかわることなんです。お部屋を拝見してもよろしいですか？」

　なにがなんだか状況がわからないまま、主人は店舗の二階にある娘の部屋へ刑事をいざなった。

　若い女性の割には持ち物の少ない簡素な部屋だった。装飾品の類はほとんどない。右京の目は晴美の机の上に置かれた写真立てに吸い寄せられた。嬉しそうな笑顔の晴美が写っている。現在よりもかなり若い。隣にギターを持って歌っている青年がいる。苫篠孝一だった。

　押入れの中を探っていた薫も、なにか見つけたようだった。顔をしかめながら、段ボールを引っ張り出す。

「右京さん、異臭がします。変なものが入ってるんじゃ……」

　勇を鼓して箱を開けると、意表をつくものが出てきた。

「骨？」

　右京が駆け寄ってのぞき込む。

「スペアリブですね。弁当に使った残り……」

骨をよけていた薫の手が、金属の冷たい感触を探り当てた。金属加工用ののこぎりやすりが箱の底にしまってあったのである。

動物のＤＮＡと消える銃弾の謎がこの瞬間に解けた。

「そもそも銃弾が消えてなくなるはずはなかったんですね」

「たぶん手に入りやすい材料を利用しただけなんでしょう。それが偶然にも魔法のような効果を及ぼした。骨で作った弾は、被害者の体内に入ったあと、原形をとどめないほどに粉々になり、砕けた被害者本人の骨に紛れてわからなかったのでしょう」

右京の口ぶりには、なぜこんな簡単なトリックに気づかなかったんだ、という悔しさがこもっていた。

トワダヒデシ建築デザイン事務所の入ったオフィスビルの前に着いたとき、芹沢は先輩の女性刑事と一緒に張り込みを続けていた。薫が駆け寄り、芹沢に詰問する。

「十和田ケイコは？」

「まだ、出てきませんよ。あれ、ほら、いま出てきました！」

芹沢が指差すほうを見ると、確かに十和田ケイコはボディーガードに囲まれてビルから出てきたところだった。ビルの前の広場では今日もタッちゃんが集まった子どもたちに風船を配っている。こんなところで、狙撃事件を起こしてはならない。薫はケイコのほうへ全力で走った。

青山弁当店のワゴン車の中では、晴美がコンプレッサーを作動させ、いつでも改造銃を発射できる態勢だった。

ケイコが出てくるのを待つ間、気がつくと鼻歌を口ずさんでいた。昔、町内会のキャンプで孝一がギターを弾きながら教えてくれた昔のフォークソングだった。晴美は孝一のことを思い出すと、いつも無意識にこの歌を口ずさんでいる。

自分と孝一は不釣合いかもしれない、と晴美は自覚していた。それでも孝一への恋心を消し去ることはできなかった。朝晩、孝一と挨拶を交わすだけで、心が癒された。それだけで、毎日が幸せだった。だからこそ、そんな些細な幸せを奪った人間が許せなかった。

孝一は自殺した、と苫篠のおじさんは言う。それを信じるつもりはない。きっとみんながグルになって孝一を隠しているのだ。有賀というガラの悪い記者と、十和田とかいういばりくさったデザイナーと、その娘であるあの女が。なかでも一番悪いのは、孝一を奪ったあのケイコという女だ。絶対に許せない。殺してやる。死んで当然なのだ。

心に暗い炎を燃やしていた晴美の目が、ビルから出てきたケイコの姿をとらえた。鼻歌の音量が自然に上がった。

広場を一周していた右京は、ようやく青山弁当店のワゴン車を見つけた。助手席側の窓が少し開き、鉄パイプがのぞいている。そのパイプの先に、十和田ケイコの一行が近づいている。

このままでは間に合わない。そう思ったとき、薫が駆け寄っていくのが見えた。右京は思い切り腕を振った。

ケイコまであと五十メートル。はやく危険を知らせなければならない。それなのに、間にタッちゃんと子どもたちがいて、邪魔だった。気ばかり焦るのに、なかなか前に進めない。いらいらした薫の視野の隅に、なにか動くものが映った。

(右京さん！)

右京が懸命になにか合図している。右京が指差したほうに顔を向けて、薫はその意味を知った。青山晴美がワゴン車の中から、改造銃で狙っている。その手が引き金にかかっているように見える。

(もう一刻も余裕がない！)

薫はタッちゃんが持っていた風船を奪い取ると、力任せに叩いた。バンと鈍い音がして、風船が割れた。

この音がケイコを驚かせた。度を失ってしゃがみ込む。間一髪セーフだった。晴美の放った骨の銃弾は、目標を失って広場の一番奥の壁に当たって砕けた。

ワゴン車に駆けつけた右京は窓から突き出た鉄パイプの先端を握って、引き寄せた。助手席にいた青山晴美が呆然とした顔をこちらに向けた。まるで、自分のしでかしたことの意味がわかっていないようだった。

この女性にこれ以上罪を重ねさせないでよかった、と右京は神に感謝した。

第四話
「蜘蛛女の恋」

一

亀山薫はお見合いパーティーに参加して、浮き浮きしていた。

この手の催しは、一般的に男性参加者よりも女性参加者のほうが少ない。しかし、主催者サイドとしては男女の数のバランスを取りたいものである。そこで、友人だか仕事の付き合いだか知らないが誰かに頼まれたのだろう、奥寺美和子に声がかかった。それに乗じて、呼ばれていない薫までのこのこついてきたのだった。男性参加者は足りているというが、ひとりくらい増えたところで主催者も目くじらを立てたりはしないだろう。美和子は終始「なんでついてくるのよ」と文句を言っていたが、「恋人が万が一にも変な男に捕まらないか、気になるんだよ」と言うと、掌を返したように喜んでいる。単純なものだ。もちろん、薫の狙いは別のところにあった。

それにしても服装くらいは気を遣うべきだったかもしれない、と薫は反省した。いつものようにTシャツの上からフライトジャケットを着て、下はワークパンツ。薫にとっては定番のファッションだったが、さすがに場違いな印象が強い。参加者の男性はみなスーツ姿だった。女性ふたりを相手に談笑している、前方の男性もダークスーツできっちり決めている。ふと目をやった薫は、その男がライバルの伊丹憲一であることに気づいた。いたずら心が頭をもたげる。そっと近づき、聞き耳を立てる。

「ご職業はなんですか?」

女性からの質問に、伊丹は照れながらごまかしている。

「はは、地方公務員などを……」

先制攻撃をしかけるチャンスが到来した。

「おや、地方公務員の伊丹くんじゃないか。や、こんちは」

電流を浴びたようにびくっとし、伊丹がおそるおそる振り返る。そしてただちに、歯を食いしばった。

「か、亀山ぁ……くんか。ど、どうしたんだ、こんなところで?」

薫は近くに美和子がいないのを確認して、

「人生のベストパートナーを捜そうと思ってね」

「お知り合いですか?」

職業を尋ねていた社交的な印象の女性が、再び伊丹に質問した。

「ええ、まあ、同僚というか、腐れ縁というか、なんというか……」

伊丹がしどろもどろに答えていると、女性が薫に向かって自己紹介した。

「わたしは斎東リカ、サイトウのトウはニシヒガシのヒガシです。そして、こちらが親友の……」

斎東リカはこのような場所に慣れているのか、物怖じせずに初対面の男に相対している。服装も挑発的なミニのドレスだった。そのリカが一緒にいたおどおどしたようすの女性を前に押し出した。

「……………です」

蚊の泣くような声だったので、薫には聞き取れなかった。名札を見ると「七森雅美」と書いてあった。

やがて、くじでカップルを決める時間となった。伊丹の相手がこともあろうに美和子になったのは愉快だった。お互いの素性を知るふたりは、隣のテーブルでまるで倦怠期の夫婦のように顔を背けあっている。会話が弾むはずもなく、いい気味である。

しかし、会話が弾まないのはこちらのテーブルも同じだった。薫の相手は七森雅美だった。この女性は人見知りが激しいのか、ほとんど顔も上げないし、自分からことばを発することはない。斎東リカとは正反対の性格である。化粧も控えめで全体的に野暮ったい印象はぬぐえない。この場の気まずいムードを拭い去るには、薫のほうから語りかけるしかなかった。

「そのドレス、よくお似合いですよ」

「母と一緒に買いに行って……」

目を伏せたまま雅美が答えた。このままでは会話が途絶えてしまう。

「仲がいいんですね。そのブローチもすてきですよ。プードルですか?」

薫がほとんど心のこもっていないことばを投げかけると、意外にも雅美が能弁に答えた。

「ええ、小さい頃、プードルを飼っていて、ラブちゃんっていうんですけど……偶然見つけて、かわいいなあと思って……これだけは自分で選んだんです」

突然ラブちゃんの話をされても、どう話題を広げればよいかわからない。会話がうまくかみ合わずに弱っているところに救世主が現われた。マナーモードの携帯電話が振動したのである。

杉下右京からだった。また、呼び出しだろうか。いつもだったら、休みの日に変わり者の上司から呼び出されるのは願い下げだが、いまはむしろ歓迎したい。

「なんですか、右京さん」

――すぐに来られますか?

薫は場所を聞くと、さも残念という顔を取り繕って雅美に別れを告げ、立ち上がった。隣のテーブルでは、同じタイミングで伊丹が立ち上がって、清々した顔をしている。おそらく同じ現場に呼ばれたのだろう。

ふたりが向かったのは、K&Sメンタルクリニックという病院だった。到着すると、薫の上司の杉下右京と、伊丹の同僚の三浦信輔が待っていた。

三浦が伊丹に事情を説明するのを、素知らぬ顔で盗み聞きする。

「被害者は岸田義邦、三十五歳、精神科の医者だ。体に鮮紅色の死斑が認められるので、典型的な一酸化炭素中毒だそうだ。室内には練炭コンロが不完全燃焼のまま放置されていたよ。死後約二十時間というところだな」

「自殺か？」

「それは警部さんに訊いてくれ」

三浦が右京のほうを振り返る。すぐに伊丹が嚙みついた。

「なんで警部さんがここにいるんですか？」

「第一発見者なもので」

上司の意外な発言に、薫が反応した。

「右京さんが？　どうしてまた？」

「ここの患者なんです。睡眠障害で何度かこちらへ通っています。不眠症ですよ。ここ三日ほど眠れないので岸田先生に電話を入れました。今日の夜なら診てもらえるというので、うかがったわけです」

薫にとって初めて知る上司の秘密だった。三浦も興味を持ったらしく、捜査一課の刑事の立場で事情聴取をはじめた。

「今日は日曜日。休診日のはずですが?」

「休診日でも診てくれていたわけです」

「それで来てみると、診察室が目張りされていたわけですか?」

「目張り?」「どういうことです?」

　薫と伊丹が同時に疑問を口にする。

「岸田先生の姿が見えないので、診察室だろうと思い、行ってみました。ノックしても返事がないので、ドアを押し開けようとしました。すると、鍵はかかっていなかったのに、ドアが開きませんでした。なにかが引っかかっているみたいな感じがしたんです。それでドアに体当たりすると、べりっという音とともに開きました。ドアの周囲は内側からガムテープで目張りされていました。そして、室内に岸田先生が倒れていたわけです」

　説明を聞いていた伊丹が断じた。

「だったら、自殺で決定ですね」

　すぐさま薫が反論する。

「自殺する人が患者の予約入れるか? ねえ、右京さん、予約するときなにかおかしなようすとかなかったんですか?」

「気づきませんでしたねえ。ただ、人は突発的に自殺する場合もあります。いずれにしろ、見込み捜査は危険ですよ」

そこへ一課の若手、芹沢慶二が、岸田の共同経営者を連れてきた。

「同僚の斎藤先生がお見えです」

斎藤肇は休暇のところを呼び出されたようで、私服のままだった。びっくりしたようすを隠せない斎藤医師に、伊丹が質問した。

「岸田先生のことなんですが、自殺の原因になにか心当たりは？」

「まったく思い当たりませんね。クリニックの経営のほうも順調でしたし、特にトラブルもありませんでした」

「診察室は隣同士のようですね？」

「ええ。でも、お互いの患者についてはノータッチです」

「プライベートでなにか問題は？」

「そこまではわかりませんね」

「でも、あなた、岸田先生の同僚なんでしょう？」

「だったらあなたはこちらの方のプライベートをなんでもご存じですか？」

三浦を手で示しながら、斎藤が伊丹にカウンターパンチを浴びせた。伊丹がたじろいだところで、三浦が質問を交替する。

「精神科医でも自殺するものなんですかね？」

「心療内科医です」斎藤は鋭い口調で訂正し、「それに、医者も人間ですから」

一課の刑事たちがやり込められている間に受付の予約名簿を見ていた薫が、声を上げた。

「あっ、伊丹、ちょっとちょっと」

「勝手になにやってんだよ?」

手招きされた伊丹が駆け寄ると、薫が名簿の前日の夜九時の欄に記入された人名を指差した。

「ほら、これ」

「七森雅美……どっかで聞いた名前だな」

「さっきパーティーにいただろ。そんなにありふれた名前じゃない」

二

翌日、薫はエレベーターの中で後輩の芹沢を問い詰めていた。

「もう、勘弁してくださいよ」

芹沢が情けない声を出すと、薫が耳元でささやく。

「捜査は持ちつ持たれつだろ。おまえが捜査の最新情報を教えてくれたら、俺もすごいネタ教えてやるから」

「本当ですか」

「嘘なんかつかないって」

薫の言うことはついつい聞いてしまう後輩が、口を開いた。

「実は土曜日の夜、管理会社の清掃員が、ビルから出て行く女を見たそうなんです」

「岸田先生が死んだ日だな。顔は？」

「それが後ろ姿だけだったそうで……」

「土曜日の夜に予約を入れていた七森雅美という女性には話を聞いたのか？」

「はい。予約はキャンセルしたと答えたそうです。この事件、自殺で決まりってことになりそうですよ」さらっと重要情報を流した芹沢が、物欲しげな顔になる。「それで、先輩のほうの情報は？」

「おまえのところの伊丹刑事だが……くれぐれも内密に頼むぞ……実は、お見合いパーティーに出てるらしい」

「マジっすか！」

芹沢が快哉《かいさい》を叫んだ。

特命係の部屋に戻った薫は、仕入れた情報をすぐに右京に伝えた。

「一課は自殺で片をつけるそうです。やっぱ、自殺じゃないんですか？」

「でも、女性が目撃されているんですよね。ちょっと気になります」右京は一旦ことばを切って、ポットからカップへ紅茶を注いだ。そしてカップを鼻先に近づけて、香りを楽しんだあと、「それに医者ならばいろいろな薬物を持っているはずです。面倒な一酸化炭素中毒死を選ぶでしょうか」

薫はおいしそうに紅茶を啜る上司を見ながら、自分はコーヒーを淹れる。

「死に方なんて、人それぞれじゃないんですか？」

そこへ組織犯罪対策五課の課長、角田《かくた》六郎が目をしばたたかせながら入ってきた。

「暇か？」

「どうしたんですか、課長？」薫が訊く。

「いや、昨夜寝すぎちゃってさ。寝すぎると、かえって眠くなるってあるでしょ？　だから、ちょっとね……」

そう言いながら、壁に背をもたせてパイプ椅子に座り、目をつぶる。完全にお休みモードである。

「うらやましい限りです。おや、失礼」

苦笑を隠せない右京が、慌ててポケットの携帯電話を探った。米沢守からのホットラインだったようだ。

右京がいまから鑑識課に行くというので、薫もお供することにした。すでに寝息を立てはじめた角田だけが、特命係の小部屋に取り残された。

米沢守が注目したのは、岸田の遺体の後頸《うしろくび》だった。遺体の写真を拡大すると、小さな点が見えた。

「なんですか、これ。虫刺されの痕?」

薫が正直な感想を述べると、米沢が心外そうに言い返す。

「虫刺されの痕を見せるために、わざわざ警部を呼びつけたりしませんよ。やけどの痕みたいです。スタンガンを押し付けられると、このような痕が残りませんかね?」

「なるほど」右京が同意した。「つまり、女性でも相手を簡単に倒せる」

薫の顔色がはっと変わった。

「例の目撃された女性……」

「ちょっと確かめてみましょう」

薫は斎東リカに連絡を取った。引っ込み思案の七森雅美から話を聞く前に、この社交的な親友から周辺情報を入手しようと考えたのだ。右京と薫が待ち合わせ場所の喫茶店で待っていると、時間どおりにリカがやってきた。パーティーのときとは一転してOL風のファッションであるが、顔立ちのせいか、華やいだ雰囲気がある。

「亀山さんが刑事さんだったなんて、びっくりしました」

右京に名刺を渡したあと、パーティーのときと同じ服装の薫を見て、リカが言った。

「別に、隠すつもりもなかったんですが、伊丹のやつが、先に地方公務員なんて言うもんだから……」

リカが口をあんぐり開けて、右手で覆った。

「じゃ、伊丹さんも……？」

「ええ、まあ」

薫が恐縮している隣から、右京が質問を放った。

「岸田先生と七森さんとは、どういうご関係ですか？」

「前に医者がメインのお見合いパーティーにふたりで参加して、そのとき岸田先生と知り合いました。雅美ったら、先生のこと気に入っちゃって、それから何度かクリニックを訪ねて診察してもらってました」

はきはきした口調でリカが答えた。このリカが内向的な雅美と仲がよいのは不思議だな、と薫は改めて思った。共通の話題などあるのだろうか。

「雅美さん、どこか具合が？」

「対人恐怖症なんですよ……あ、でも、それは口実で、ただ、先生に会いたかっただけなんじゃないかな」

「ふたりの間になにかトラブルは？」

「さあ」リカは一度首をひねったが、なにか心当たりがあったのか、身を乗り出して顔を寄せた。「ひょっとしたら、しつこくして迷惑をかけてたのかも……前にもそんなことがありましたから」

対人恐怖症の気《け》がある雅美が、誰かをしつこく追いかける姿を薫は想像できなかった。右京が訊いた。

「雅美さんとはお会いできますか？」

「どうかな、ひどいショック受けてるし、部屋に引きこもって出てこないっておばさん言ってたけど……でも、行ってみましょうか」

七森雅美の自宅は一戸建てのコンパクトな建売住宅だった。表札の下に「七森茶道教室」という木製の看板がかかっている。

リカがチャイムを鳴らすと、上品な感じの初老の婦人が出てきた。この女性が雅美の母であり、茶道の先生の七森日出子だった。

日出子は三人の訪問客を応接間に通すと、深々と腰を折った。

「申し訳ありません。雅美は部屋から出たくないと駄々をこねておりまして……」

心痛からか、日出子は少しやつれているように見える。薫がどう答えたものかことばを探していると、日出子が続けた。

「わたしがいけないんです。父親がいない分、甘やかしてしまって」

「雅美のやつ、わたしが呼んできます」

リカが立ち上がり、勝手を知った気安い物腰で応接間から出て行った。すぐに二階からノックの音が響いてきた。「雅美、出てきなよ」というリカの声も聞こえる。

「われわれも行ってみましょうか」

ときどき無作法な人間に豹変する右京が、茶道の先生の了解も得ぬまま声のするほうへ向かった。仕方なく薫と日出子もあとに続いた。薫たちが二階に上がったとき、リカはすでに雅美の部屋に踏み入っていた。

「出てきなさいよ。亀山さんが、心配して来てくれたんだから!」

リカが言うと、追いつめられた雅美はクッションを投げつけて抵抗した。

「なんで連れてくるの? リカなんか、大嫌い!」

名前が出ている以上、ここは自分が仲裁すべきだろう。足を踏み出した薫は、衝撃的な光景を目撃した。

「放っておいて!」と叫んでベッドに顔をうずめた雅美を引きずり起こしたリカは、

「いいかげんにしな」と、平手で思い切り相手の頬を張ったのだ。ピシャッという乾いた音がして、雅美のすすり泣きが聞こえてきた。

見てはいけないものを見てしまった後ろめたさで薫は固まった。その目の前で、リカは雅美の肩を抱きすくめた。

「ごめん……ごめんね。だけど、雅美が悪いんだよ……」

これ以上、見ているのがいたたまれない気持ちになったところで、右京が雅美の母に申し出た。

「無理にとは申しません。今日はもう失礼します」

右京に従って踵《きびす》を返した薫を、雅美が涙声で呼び止めた。

「帰らないで！　亀山さんひとりなら……」

ご指名を受け、ひとり雅美の部屋に入った薫は気まずそうにカーテンを開けた。

「無理やり押しかけてきて、すみませんでした。迷惑でしたよね？」

薫がおそるおそる切り出すと、雅美はかぶりを振って、ぽつんと言う。

「うれしかった」

返事に困り、薫はただうなずくことしかできない。

「ブローチ、褒めてくれたでしょう？　誰かに褒めてもらうなんて、めったにないから。お世辞でもうれしかった」

「お世辞なんかじゃないですよ。ほんとにいいな、と思ったから」

なんだかこの前のパーティーの続きみたいだと思いながら、なるべく気持ちを込めて薫が言った。普段着の雅美はおそろしく地味に見える。

「亀山さんっていい人ですね」

「いや、だといいんですが。ところで、岸田先生の話なんですが……」

薫が本題に入ると、たちまち雅美は両手で頭を抱えて、自分の殻に閉じこもってしまった。

「あ、いまのはナシ。ナシにしましょう。知り合いがあんなふうになって、ショックですもんね。なにか俺にできることがあったら言ってください。俺でよければ、力になりますから」

せっかくほぐれつつあった雅美の心を再び閉ざすような不用意な発言をしてしまった薫が、必死に言い募る。

「本当に……？」

上目遣いで雅美が問う。そして、ようやくぽつりぽつりと話しはじめた。

七森家に暇《いとま》を告げた右京とリカは近くの公園を散策していた。

「おふたりの間には、よくあのようなことが？」

右京が興味深く質問すると、リカは寂しげに笑った。

「いつもは叩いたりはしませんよ。雅美がわけのわからないことを言って、キレたときだけ。これでもわたし、忍耐強いほうなんですよ。岸田先生も信頼してくれていたし……」

「そうですか。岸田先生が」

「前にも言われたんです。『雅美さんと一緒に住んであげると、彼女のためにとてもいいのですが』って。そうしようとしたんだけど、引っ越し間際になって、雅美がドタキャンして……」

「それは、なぜですか？」

「いつもなんです」リカの表情にはあきらめのようなものが感じられた。「自分に自信が持てないっていうか、優柔不断っていうか。旅行へ行こうって決めても、いっつも雅美がドタキャンして……もう、慣れっこになっちゃいました」

「斎東さんは、ずいぶんお優しいんですねえ」

「友だちだから。あの子にはわたししか友だちいないし……」

リカがしみじみと言って、帰っていく。しばらくすると、薫が合流した。

「いかがでしたか？」と、右京。

「人とうまくやっていけないとか、いつも不安でひとりが怖いとか、そんな悩みを相談されちゃいました」

「土曜日の彼女のアリバイは？」

「ずっと部屋に閉じこもっていたそうです。母親もそう言ってました」

「近親者の証言は不在証明になりませんよ」

「右京さん、彼女を疑ってるんですか？」薫は自信を持って主張する。「あの子には人殺しなんて無理ですよ」

「まだ、決めつけなくてもいいと思いますよ」

なんでも疑うのがこの上司のいやらしいところだ。薫は心の中であっかんべえと舌を出していた。

三

特命係のふたりの刑事はK＆Sメンタルクリニックを訪ね、斎藤医師と面会した。七森雅美のカルテの内容を知りたかったのだ。

「見当たりませんね」

同僚の医師の患者のカルテを検《あらた》めていた斎藤は、首を振った。

「それは誰かが持ち去った、という意味でしょうか？」

右京が訊くと、斎藤は首をかしげた。

「どうですかね。岸田先生が自殺する前に処分した可能性もあります」

「そうですか。ところで、あのような関係はよくあるケースなんですか？」

右京はそう言って、今日見聞きしたリカと雅美の関係について説明した。説明を聞いた斎藤が私見を述べる。

「それだったら、共依存症かもしれませんね。共に依存し、執着しあう人間関係。まあ、俗に言うベッタリな関係のことです」

「共依存症の人にはなにか弊害が？」

「ええ。自分に自信がないから、極端に他人を頼る傾向があります。ただ、頼られたほうは息が詰まる。逃げようとする。するともっとしがみつかれる。悪循環です」

手振りを交えながら斎藤が語った。薫が疑問をぶつける。

「でも、リカさんは親身になって世話を焼いてますよ？」

「病的なまでに他人の世話を焼きたがる。自分がいないとだめだと思い込む。それも共依存の症状のひとつなんですよ」

「ということは」右京が考えながら問う。「岸田先生が共依存の相手を治療していた可能性も？」

「ないとは言えません」

翌日から、薫は共依存症の患者に悩まされるはめになった。

最初はメールだった。乞われてアドレスを教えた七森雅美から、一通の携帯メールが入ったのだ。母親と一緒に買い物に行ったとかいう他愛のない内容だった。無視するのはかわいそうだと考えた薫は簡単な返信を送った。なにを買ったの、と。すると、わざわざそれを見せに来た。薫が愛好しているアヴィレックス・ブランドのモスグリーンのTシャツ……この前、薫が着ていたものだった。雅美はわざわざ同じものを捜して、買い求めたのだ。似合ってますよ、なんて心にもないお世辞を言ったのがよくなかった。雅美はその後、同じブランドのフライトジャケットを買い、それもまた見せに来た。地味な外見の雅美にミリタリールックが似合うはずもなかった。

メール攻撃も半端じゃなかった。およそ十分おきにメールが送られてくる。それは薫が夜マンションに帰ってからも続いた。あまりに頻繁にメールが来るので、すぐに美和子に勘づかれてしまった。携帯電話を取り上げられて、追及された。どうして一日五十通も同じ女からメールが来るのか、云々。この前のパーティーで知り合った七森雅美で、自殺した医者の事件で話を聞いているだけという言い訳は通用しなかった。そりゃ、そうだろう。自分だってこんな嘘が通用するとは思っていない。

その翌日、雅美はさらにエスカレートした。薫とおそろいのフライトジャケットを着てふいに現われた雅美は、なんと手作り弁当を押し付けたのだ。いらなかったら捨てちゃってもいい、と言って。間が悪いことに、それを受け取る場面を警視庁の記者クラブに行く途中だった美和子に見られてしまった。ここで再び美和子に追及された。それを逃れるために、すぐに捨てようとした。しかし、叶わなかった。少し離れた木の陰に隠れて、雅美がこちらを見つめていたのだ。薫は背筋が凍る思いだった。

このままだと自分が心療内科に通わなくてはならないかもしれない。特命係の部屋でひとり思い悩んでいるところに、珍しく伊丹が現われた。いけ好かない同期の刑事はなぜか、薫を強引にレストランに誘ったのだった。

その夜、待ち合わせに少し遅れて駆けつけてみると、テーブルには、伊丹憲一のほかに、斎東リカと七森雅美がいた。

薫が席に着くやいなや、リカが非難した。

「伊丹さんに聞いたわ。亀山さん、同棲相手がいるんだって？　それなのに、どうしてお見合いパーティーなんかに来たのよ！」

瞬時に事態を理解した。昼間、雅美は木陰から美和子を目撃したはずだ。それで不安になった雅美はリカに相談し、リカが伊丹に事情を確認した。そうに違いない。

「亀山さん、あなた、雅美を傷つけたのよ！」

傷ついたのはむしろこちらのほうだという思いもなくはなかったが、ここはちゃんと謝り、関係をご破算にするチャンスだった。

「すみません。騙すつもりはなかったんです」

雅美はうつろな顔でじっとテーブルの隅っこを見つめている。リカの怒りは収まらなかった。

「さんざん弄んでおいて、雅美はどうなんの?」

「リカさんの言うとおりだ」ここで伊丹が割り込んできた。神妙な顔になって、薫を責めた。「二股かけるなんて、最低だ。ぼくはきみを軽蔑する」

「なんなんだよ、おまえ……」

本当ならば殴りかかりたいところだが、場所が場所だけにそうするわけにもいかない。伊丹がかさにかかって、責め立てる。

「ひとりの人間として、きちんと雅美さんに向き合うべきじゃないのかな?」

「その女とは、結婚してるわけじゃないのね?」

リカの発言の意図を読み、薫が先回りをした。テーブルに両手をついて、頭を下げる。

「勘違いさせてしまったことは謝ります。申し訳ありませんでした」

リカが親友に向き直った。

「雅美! なんか言ってやんなよ! ここまでバカにされて、黙っている気なの? ひどすぎるじゃない!」

「もういいから」

雅美が初めて声を出した。そして、席を立って逃げるように出て行ってしまった。

四

「ああ、嫌だ、嫌だ、嫌だ、嫌だ」

薫は心底困り果てていた。〈花の里〉のカウンターで思い切り愚痴る。マンションに帰って美和子と顔を合わせるのもつらく、〈花の里〉がこのときの薫の唯一の避難所だった。

「なんでこうなっちゃうんですかねえ？」

「まるで、蜘蛛の巣にかかった哀れな虫みたいね」

たまきが含み笑いをして、そう評した。

「こういうとき、男はどうすればいいんですかね？」

「そうねえ」たまきは茶目っ気のある顔で、「結婚してさしあげたら？　その雅美さんって方と」

「冗談じゃないんですってば。深刻なんですから」

ぼやいている薫の携帯電話が鳴った。「斎東リカ」という表示が不吉なものに見える。電話に出た薫は、不吉な予感が当たったのを知った。七森雅美が左手首を切ったという最悪の知らせだったのだ。

薫は右京と一緒に、すぐに救急病院へ駆けつけた。人気のない待合室で、憔悴したようすの斎東リカが待っていた。

「命に別状はないって……」

「そうですか、それはよかった」

薫が本音を漏らすと、リカが瞬時に突っかかってきた。

「よかったって……わたしの親友をこんな目に遭わせておいて……」

廊下の気配を感じたのか、診察室のドアが開いて、雅美の母、日出子が顔を出した。

「お騒がせして、申し訳ありません」

恐縮したように頭を下げる。薫も右京も深々とお辞儀を返した。

長椅子に座って、ぽつりぽつりと日出子が内心の思いを吐露した。

「娘の問題行動にはいつも悩まされてきました。それで、なるべく買い物とかにあの子を連れ出して、〝友だち親子〟をやってきました。なのに……自殺未遂だなんて……」

日出子の声が詰まり、ことばがとぎれた。俯いたまま、ハンカチを固く握りしめた。

リカがしゃがんで、親友の母の肩に手を添えた。

「おばさんのせいじゃないわ」

日出子が顔を上げた。目が怒りを含んでいる。

「リカさんがお見合いパーティーにあの子を連れ出すから、こんなことになるんだわ」

まさか責められるとは思っていなかったリカが顔色を失う。肩から手を離し、びっくりしたように日出子を見つめた。

「リカさん、結婚するんでしょ?」日出子が険のある口ぶりで言った。「雅美のことはいいから、自分の幸せだけを考えて!」

リカが啞然として言い返した。

「わたし、結婚なんかしませんけど……」

「えっ!」

意外そうな顔で見返す日出子に、リカが自分の気持ちを訴えた。

「そんなことあったら、真っ先におばさんに言いますよ」

そう聞かされても、日出子の顔は曇ったままだった。

「とにかく、これ以上、雅美には近づかないで。お願いね」

なぜ自分が恨みを買わねばならないのか、リカは解せぬ思いだったが、混乱しているようすの親友の母親をこれ以上悲しませてはならないと感じ、ここは引き下がった。

やがて、雅美の意識が戻った。彼女は、薫がそばについていることを望んだ。薫は病室で雅美の横に付き添いながら、美和子にはどんな言い訳をしたものかと考えていた。

結局、雅美の病室で一夜を過ごした薫は、寝不足の重い身体を引きずるようにして、登庁した。特命係の部屋にたどり着くと、右京がまじめくさった顔で紅茶を飲んでいた。薫としては、不平のひとつも言ってみたくなる。

「岸田先生はやっぱり自殺だったんですよ。気持ち、わかります。あれだけ執着されたら、死にたくもなりますよ」

右京が険しい表情になった。

「きみはまだそんなことを言ってるんですか。岸田先生は殺されたんですよ」

「右京さんこそ、まだそんな……あの部屋が完全な密室だったという事実は右京さんが一番よく知ってるんでしょ？」

「そうですねえ」右京はその質問を軽く受け流し、「ぼくにはひとつ気になっていることがあります」

「なんですか？」

「岸田先生が斎東さんに言ったアドバイスです。『雅美さんと一緒に住んであげると、彼女のためにとてもいいのですが』というアドバイス。奇妙だとは思いませんか？」

「なにがですか？」

「ふたりが共依存の関係にあるのなら、一緒に住まわせれば、症状はますます悪化します。そんなアドバイスを岸田先生がするでしょうか」

「リカさんが嘘をついたんじゃないですか？」

右京はそれには答えず、時計を見て立ち上がった。

「すみません。ぼくはいまからちょっと、K&Sメンタルクリニックに行ってきます」

「密室トリックを破りにですか？」

「それも魅力的ですが、本当の目的は不眠症の治療です。斎藤先生に診てもらおうと思いましてね。予約を入れました」

「どうぞどうぞ、行ってらっしゃい」

上司がいなくなれば、この部屋で睡眠を補えると計算した薫は、心からそう言った。


「はい、どうぞ」

斎藤医師が右京に不眠症対策の薬の処方箋を差し出した。右京は受け取って、室内を見渡した。診察用の機械に白い布がかけられている。

「このクリニックはお閉めになってしまうんですか？」

「ええ、でも、また、別の場所で開業しますよ。あんなこともあったし、ちょうど人生の転機ですし」

右京は医師のことばの意味を考え、〝あること〟を確認した。医師がそれを認めたので自説に確証を得た右京は、薫に電話をかけて頼みごとをした。

薫は病院の出口で、七森親子が出てくるのを待っていた。しばらくすると、日出子に付き添われて、雅美が姿を現わした。顔色はまだよくない。

薫はすっと近づくと、背中に隠していた花束を差し出す。

「退院おめでとう」

雅美が顔を赤らめ、母親が礼を言った。

「雅美さん、そこで待っていてもらえるかな。お母さんとちょっとお話が」

薫は雅美を遠ざけると、当惑顔の母親に打ち明け話をした。

「俺、決めました。雅美さんと一緒に暮らします」

「ええっ！」

「もう部屋も用意しました。彼女の支えになりたいんです。許してもらえますよね？」

日出子は突然の薫の告白が信じられない思いだった。近くのベンチに座ってぼうっとしている娘のほうを見やり、

「でも、あの子はあんな状態です。子どもっぽいし……わがままだし。誰かと一緒に暮らすなんて、とても無理です。あなたにご迷惑をおかけするだけです。どうぞ、お構いなく」

そう言って、娘のほうへ近づこうとする日出子を薫が押しとどめた。

「このまま放っておけないんですよ」フライトジャケットのポケットを探り、封筒を取

り出す。それを雅美の母に押し付けるようにして渡し、「住所と鍵です。落ち着いたら、雅美さんに渡してください」

一方的にそれだけ言うと、薫は一礼して立ち去った。

五

薫は新しいマンションのソファの上で横になっていた。目を閉じて、寝息を立てている。

もっとも、これは芝居だった。つい先ほど、マンションのドアが静かに開き、侵入者が気配を殺して一歩一歩近づいてくる。最後の瞬間には侵入者に跳びかかれるように、耳を澄ませ、神経を張りつめていなければならない。侵入者がなにかを取り出した音がした。スタンガンだろうか。きっとそれで自分を気絶させるつもりなのだ。その手が近づく。もうじき首筋に押し当てられる。

そこで、薫は跳ね起きた。同時に息を殺して隠れていた右京が部屋の電気を点けた。薫に手首をつかまれて、七森日出子は逃げられない状態だった。右京の声が冷酷に響く。

「やはり、お母さんだったんですね」

「なんで、俺を殺そうとするんですか？」

「殺すなんて、そんな！」

「じゃあ、このスタンガンはなんですか？」

「岸田先生もあなたですね？」

右京がスタンガンを取り上げ、薫が拘束を解いた。

「なにをバカな！　岸田先生は自殺でしょ？」

「違います」と、右京。「それはあなたが一番よくご存じのはずです。雅美さんが自殺未遂をなさったあと、あなたは斎東さんをお嬢さんから引き離そうとしましたね？　それは、雅美さんを独占しておきたいあなたにとって、彼女が邪魔な存在だから。違いますか？」

日出子は黙ったままうつむいている。薫がたたみかける。

「岸田先生のアドバイスで、雅美さんとリカさんは一緒に住む予定でした。それもあなたが阻止したんじゃないですか？」

日出子が反論した。

「わたしはあの子の母親ですよ。なにがいけないの」

「そうおっしゃるとふつうの娘と母親のように聞こえますが、問題はそこです。雅美さんと共依存の関係にあったのは、斎東さんではなく、お母さん、あなただったんですね。それを見抜いた岸田先生は、はやく母親から自立するように忠告した。しかし、あなたはそれを妨害しようとした。それで、岸田先生を殺したんですね」

「違う、違うわよ！」日出子が突然大声を出して、取り乱した。「そんなのでたらめよ！　どうしてわたしが殺したなんて言えるの！」

「あなたは斎東リカさんが結婚すると思っていました。病院での彼女とのやりとりでそれは明らかです。しかし、彼女には結婚の予定などない。結婚するのは、岸田先生の同僚の斎藤先生なんです。本人に確認しましたから間違いありません。そして、斎藤先生は結婚話をまだ岸田先生にしか知らせていなかったそうです」

自分のミスに気づいた七森日出子が悔しそうに歯を食いしばる。右京の告発が続く。

「それなのになぜ、あなたが勘違いしたのでしょう。あなたが殺害現場にいたからですよ。土曜日の夜九時頃、あなたは雅美さんの名前で予約を入れましたね。そして、診察室にいるときに、岸田先生に電話が入った。斎藤先生に確認したところ、その時間に電話されたそうです。岸田先生の受け答えから、あなたは断片的に、〝サイトウ〟〝ケッコン〟という単語を聞き取った。それをあなたは、『娘の親友の斎東さんが結婚する』と思い込んでしまった。そうではありませんか？」

日出子は無言だった。沈黙が右京の推理の正しさを裏づけていた。

「あなたはスタンガンで岸田先生を気絶させると、一酸化炭素中毒で自殺したように見せかけて殺した。そして、カルテを持ち去った。カルテには共依存症の対象者であるあなたの名前が書かれていた」右京は鋭く日出子をにらむと、薫に目を向けた。「密室トリックはこうです。亀山くん！」

薫は廊下に通じる扉のほうへ移動した。蝶番《ちようつがい》で柱に接した一辺を除き、扉の他の三辺にはガムテープがのりしろを半分残した状態で、ぐるりと貼り付けられている。薫はにっこりと笑うと、廊下へ出、扉を閉めた。こちらの部屋からは薫の姿が見えなくなった。直後、機械の作動音が聞こえてきた。半分宙に浮いていたガムテープが、見る見るうちに少しずつ框《かまち》に接着していく。薫が電気掃除機を使って、廊下側から扉と框の間の隙間を吸引しているのだった。薫が掃除機のノズルを扉の三辺に沿ってぐるっと動かし、内側から目張りされた扉ができあがった。

ふいに、日出子が叫び声を上げた。

「あのやぶ医者！　人の娘を病人に仕立て上げて、わたしから引き離そうとしたのよ！」

右京にすがりついて訴えかけるが、目の焦点は定まらず、錯乱しているのは明らかだった。一転して激しく首を左右に振りながら、小さな声で独白する。

「マーちゃんはわたしの子よ。誰にも渡さない。独りぼっちは嫌よ。嫌よ……マーちゃん」

見かねた薫が日出子を取り押さえた。

「お母さん。もう、雅美さんを自由にしてあげたらどうですか？」

日出子は再び興奮し、薫の腕を振りほどく。

「母親のわたしが娘を愛してなにが悪いのよ！」

右京が日出子の前に出た。

「それは、愛というよりは支配ではありませんか？　娘さんをひとりの人間として認めてあげてください。いずれにしろ、これからは離れ離れに暮らすことになるわけですから」

右京の最後のひと言を聞いて、七森日出子が号泣をはじめた。

数日後、斎東リカが七森雅美を伴って、特命係のふたりの刑事に挨拶に来た。アパートを借りて、ふたりで暮らす決心を固めたという。

「雅美のことは心配しないでください。わたしが立ち直らせますから」

リカはそう言って、別れを告げた。その間、雅美は一度も薫の顔を見ず、ひと言もしゃべらなかった。それが薫にとって、とても気がかりだった。

「あのふたり、本当に大丈夫ですかね。なんか、母親の役割がリカさんに替わっただけのような気がするんですけど」

「純粋な友情と信じましょう。あとはふたりの人生です」

右京が自分に言い聞かせるように言った。

第五話
「殺してくれと
アイツは言った」

一

亀山薫は杉下右京と一緒に張り込みをしていた。

組織犯罪対策五課の角田《かくた》六郎から応援の要請があったのだ。組織図上、特命係は生活安全部の一部署である。しかし角田は、気軽に特命係のふたりと接してくれる、警視庁内では数少ない人間である。覚醒剤の取り引き現場となっているアパートを張り込む人手が足りないと聞けば、力を貸すのもやぶさかではなかった。

車内での待機が長く続いていた。右京との話題も尽きた。薫は退屈しのぎにカーラジオを流していた。

――菅原さんの暴力描写が過激すぎるって言う人もいますよね。

――あのね、俺が書くのは、恋愛小説じゃなくて、犯罪小説なんだよ。過激な描写は、このぬるい時代に打ち込む楔《くさび》みたいなもんなの。

――この時代はぬるいですか？

――ああ、ぬるいし、退屈だ。ま、小説を書くのも死ぬまでの暇つぶし。ねえ、これを聞いているみんな、誰か俺を楽しませてくれないかな。

――楽しませるって、どんな？

――一度でいいから、命を狙われてみたいんだ。

女性ＤＪとしゃべっているのはハードボイルド作家の菅原英人《えいじん》だった。好き勝手な意見を吹聴できて、作家というのは気楽な人種だ、と薫は苦々しく思った。この物騒な世の中、本気にするやつもいるかもしれないというのに。

右京はラジオを聞いていたのかいないのか、じっと前の道路を見つめている。労働者風の男がひとり、張り込み中のアパートへ入っていく。ほどなくして、アパートの一室から奇声が上がった。なにか異変が起こったのか。ただちに角田から無線連絡があった。

「いまだ、踏み込むぞ！」

薫と右京は競うように車を飛び出した。通行人や近所の飲み屋の従業員に扮した角田の部下たちがアパートに向かって走って行く。アパートの室内は混乱状態だった。気化した覚醒剤を吸ったらしく、凶暴化した男が数人で殴り合いを演じている。先ほどの労働者風の男が左手に包帯を巻いて、そのようすを遠巻きにしていた。薫が取り押さえようとすると、「その男はいいから、暴れているやつらを捕まえて」と角田に命じられる。久しぶりの大立ち回りである。薫は日頃の運動不足を解消することに専念した。

薫や右京の活躍の甲斐もあり、作戦はおおむね成功した。逮捕したヤクの売人と客は八名、対してこちらの負傷者はわずかに一名。結果を見ると上々の成果だが、負傷者の角田にとってはいまひとつ納得のできないものだったらしい。翌日も、特命係の小部屋に居座っては、愚痴を述べていた。

「暇か?」

そこへ、まるで角田の口癖をまねるかのようにして、誰かが入ってきた。不機嫌な負傷者が即座に言い返す。

「暇じゃねえよ、ったく」

薫が瞬時に硬直したのに不審を覚え、角田が振り返る。入ってきたのは警察庁長官官房室長の小野田公顕だった。

「か、か、官房長!」

角田は思わず棒立ちになり、一礼すると、逃げるように部屋から出て行った。正式には官房室長だが官房長と呼ばれることに慣れている小野田は肩をすくめると、右京の前に一冊の本を差し出した。『血の贖《あがな》い』という書名を確認して、右京が答える。

「いま話題の犯罪小説ですね。これがなにか?」

「実はこれ書いてるのが、ぼくの同級生なんだけどね、ちょっと困ってるんだ」

「困ってるというと?」

薫が先を促すと、小野田が渋い顔になった。

「昨夜、ラジオで不用意な発言をしてね。『誰かに命を狙われたい』とか言っちゃったらしい」

薫の脳裏に昨夜のラジオの一節が鮮やかに蘇った。

「それ、聞きましたよ。あ、ホントだ、菅原英人！」

「さっそくどこかのおバカさんが、それを本気にしたみたいでね」小野田は勝手にコーヒーメーカーのコーヒーをカップに注ぎながら、「やつの家の新聞受けに、切断された人間の指が放り込まれていたんだ」

小野田は菅原英人の警護役として、時間を持て余している特命係の刑事に目をつけたのだった。

二

切断された小指は紫色に変色し、血まみれの芋虫のように見えた。どうしたって気持ちのいいものではない。

封筒には手書きのメッセージが同封されていた。

あんたの願いをかなえてやる
俺は本気だ

菅原英人は、わがままで付き合いづらい不平家——初対面でまだ五分しか経っていないのに、すでに薫はそう感じていた。傲岸《ごうがん》不遜を絵に描いたような態度で特命係の刑事に接するのである。

「まったく困るよ。最近は大人の冗談もわからない輩《やから》が多くてさ」

ぶつくさ言っている菅原に、右京が質問した。

「送り主に心当たりは？」

「まったくなし」

「なぜ、小指なんでしょう？」

「俺の小説に、切断した自分の指を愛する女に送りつけるストーカーの話があるんだけどな。読んだだろ？」

「ああ、あれですね」

菅原のハードボイルド小説などひとつも読んだことのない薫が適当に話を合わせた。

「犯人がそれをまねしたとすれば、狂信的なファンのしわざですかね？」

そこへ落ち着いた物腰の女性が、おしぼりと飲み物を持って入ってきた。

「主人がご迷惑をおかけしています」

女性が頭を下げると、菅原が紹介した。

「女房の珠江」気障《きざ》なポーズで煙草に火をつけながら、「こんな指くらいで大騒ぎするなって言ったんだけどさ、こいつが心配しちゃって。よせばいいのに、小野田に電話を」

「奥さんも官房長とお知り合いなんですか?」

珠江が会釈すると、菅原が代わりに説明する。

「やつからなにも聞いてない? いやね、小野田が若い頃、こいつに惚れててさあ、それを俺が横取りしたってわけよ」

菅原が妻の肩を抱き寄せようとすると、珠江がそれを払いのけた。

「あなた、やめてください」呆れたような目で夫をにらんだ珠江は、「この人があんなバカなことを言って、全部、悪いんです。ホントにすみません」

立ち上がって下がろうとする珠江の背中に、菅原が声をかけた。

「いいんだって。こいつらこれが仕事なんだから。な、亀ちゃん」

薫が愛想笑いを浮かべてうなずいた。

菅原邸の庭では、鑑識課の米沢守が不審な足跡や遺留品がないか、調べていた。右京がそっと近寄り、小指入りの封筒を渡した。指紋照合の調査を頼んで去ろうとする右京に、米沢が声をかけた。おずおずと真新しい『血の贖い』を取り出す。

「お願いがあるんですが、この本にサインをもらっていただけないでしょうか。私、ものすごいファンなものですから」

「あなたもお好きですねえ」

米沢は見返しの部分を指差し、

「ここに『米沢守さんへ』って入れてもらえると。あと、ついでにひと言添えてもらえるとすごくうれしいです」

「承知しました。その代わりというわけではありませんが、照合のほう、急いでくださいね」

にやりと笑って、米沢が応じる。

「わかりました。お互いに、その代わりというわけではない、ということで」

菅原英人は、独善的で強引な天邪鬼──丸一日も警護をしていると、薫はすっかりこの作家が嫌いになった。勝手気ままに刑事たちをこきつかって、礼のひと言もない。今日はサイン会というので、怪しい人物が近寄らないように見張るのが仕事だった。

サイン会場は長蛇の列である。どうしてこんな男の書く小説なんかにこれほど多くのファンがついているのだろう。一冊も読んでいないのに、薫は心から憤っていた。許せないのは、なぜか若い女性のファンが多いことだ。列の半分以上は女性ファンで占められている。さすがにファンに対しては悪態をつくのを自粛して、菅原はひとりひとりにひと言添えて署名を記していく。

一見しておたくっぽい若い男の順番になった。この客にも菅原は愛想よく接するのだろうか。ふいに興味を覚えた薫は、静かにやりとりを見守った。

「きみはなにやってるの?」と、菅原。

「フリーターです」もじもじしながら男が答えた。「でも本当は作家志望なんです」

「そうか、じゃ、将来、俺のライバルだねえ。俺もね、四十まではろくでもないフリーターだったんだよ。きみにはこのことばをあげよう。意味わかる?」

「潜時有意……ですか? わかりません」

「早い話が、若い頃の苦労には意味があるってことだ。四十になったら身にしみるよ、このことば」

菅原はそう言ってサイン本を渡し、フリーターの男と握手をした。

「俺らに対する態度とまったく違いますね」

意外にまじめな菅原の応対を見て、薫が上司に耳打ちした。

「これも彼の別の一面なのでしょう」

右京がそう評したとき、スーツのポケットの中の携帯電話が震えた。陰に隠れるように移動して、電話に出る。米沢からだった。

──本当にありがとうございました。「人生はできの悪い小説の如し」、まさに私にぴったりのことばです。

一瞬なんのことだろうといぶかったが、すぐに菅原から米沢宛にもらったサイン本だと気づいた。それが米沢への添え書きだったのだろう。

「喜んでもらえれば結構です。それで、指紋照合のほうはいかがでしたか？」

──切断された小指の指紋はシロです。犯歴はありませんでした。

「そうですか。どうもありがとう」

電話を切った右京の顔には失望の色が浮かんでいた。

菅原英人は、自己中心的で助平な無礼者──一旦は菅原の評価を上げかけた薫は、すぐに考えを改めていた。サイン会が終わって繰り出したクラブでのホステスたちに対する振る舞いを見ているとそう思わざるを得ない。何人ものホステスを相手にどんちゃん騒ぎを繰り広げているのである。

クラブには小野田公顕も姿を見せていた。年寄りどもが旧交を温めるのを、なんで自分が警護しなければならないのだ、と薫は冷ややかに眺めていた。

「煙草、どうだ？」

ふとホステスから旧友に目を向けた菅原が勧めたが、小野田は断った。

「孫に『じいじ、臭い』って言われたもんでね」

「孫って、男？」

　小野田がうなずくのを見て、菅原がせせら笑う。

「男ならさ、煙草のにおいに慣れろって言ってやれよ」

「孫と女の涙には勝てないからな」と、小野田。

「ねえねえ、きみたちも飲んだら？」

　菅原が身を乗り出して特命係のふたりを手招きした。

「いや、そういうわけには……」

　薫が辞すると、機嫌を損ねた顔になる。

「固いこと言うなよ。地方公務員！」

　作家は小野田のほうを向き「いいだろ？」と訊き、相手が苦笑しているのを見て、

「ほら、上司の許可が出たからさ」と強引に誘った。

　相棒がそろそろとウイスキーの水割りに口をつけたのを横目で見ながら、右京が小野田に小声で話しかけた。

「あなたにこのようなお友だちがいるとは、意外でした」

「ふっ」小野田は軽くため息をつき、「あいつには学生時代から苦労かけられっぱなしでね。あいつみたいな生き方は絶対にできない。特に、ぼくやおまえみたいな人間には

ね」

　菅原がホステス相手にバカ騒ぎを再開した。左隣に座った茶髪の若いホステスの肩に腕を回し、右隣の和服のママとキスのまねごとをする。取り囲んだホステスから嬌声が上がった。

「あいつが放蕩三昧してる間、ずっと苦労してきたのは珠江さんだからね」友人の醜態を見ながら、小野田がぽつんと言った。「本当にできた女性でね。よく三人で飲み歩いたもんだよ。あいつやぼくに高いものを食わせようとして、自分はいつも安いものを食べていた。そんな人だよ、珠江さんは」


　結局、菅原英人はへべれけになるまで飲み続け、右京と薫が自宅まで送り届けるはめになった。帰宅したのは零時をはるかに回っていたにもかかわらず、妻の珠江はちゃんと起きていて、特命係の刑事たちを迎えた。ふたりに丁寧に礼を述べると、熱いお茶を差し出す。刑事が落ち着いたのを見計らって、珠江が心配そうに打ち明けた。

「最近、主人が死にたいなんて漏らすんです。なんだか、筆が滞りがちらしく……」

「ラジオであんなことをおっしゃったのは、自殺願望ではないか、と？」

　右京が訊くと、珠江は不安を隠さず、うなずいた。夫の人柄はどうであれ、内助の功の手本のような珠江の力になりたい、と薫は思った。

「大丈夫です。われわれが護衛していますから」

そのときの薫の気持ちに嘘はなかったが、また同時に襲いくる睡魔に抵抗もできなかった。門の外に駐車した覆面パトカーに戻ると、たちまち眠くなってしまったのだ。

「すぐに起きますから」と言い残して相棒が寝息を立てはじめると、右京はおもむろに『血の贖い』を開いた。

三

翌朝、菅原邸の和室でふたりが珠江に朝食を呼ばれていると、二日酔いで気分の悪そうな菅原が現われた。ほぼ同時に玄関のチャイムが鳴り、入れ違いで珠江が出て行った。

「あー、飲みすぎた」菅原は酔っ払いの定番のせりふを口にしたあと、刑事たちに質問する。「あれ、徹夜だったの？」

薫が恐縮して茶碗を置くと、実際に徹夜した上司が笑顔を作る。

「あなたの小説を興味深く読ませていただいていました」

「あ、そう」

関心なさそうに菅原は返し、食事には手をつけず、茶を啜った。

「今日のご予定は？」

「えっ、なんだっけな？　スケジュールは珠江に任せてあるから、あいつに訊いてよ」

そのことばの直後、大きな爆発音が鳴り響いた。轟音で耳が一瞬麻痺し、衝撃で家が揺れた。この家でなにかが爆発したらしかった。

右京がすぐに立ち上がり、ようすをうかがいに急ぐ。薫もあとに続いた。

爆発現場は台所だった。舞い上がる粉塵と爆発物のにおいにむせながら、ふたりが駆けつけると、台所の床に珠江が倒れているのが見えた。後ろからついてきた菅原が「珠江！」と叫ぶ。

異臭に耐えながら、薫が心臓に手を当てた。まずいことに、心停止状態のようである。右京とふたりで珠江の身体を抱え上げると、被害のなかった和室に運ぶ。タオルで鼻と口を覆った菅原が、そのようすをじっと見ていた。

すぐに救急車を呼ぼうとした薫を、右京が止めて首を振った。菅原珠江はこのときすでに絶命していた。

やがて救急車ではなく、捜査一課の刑事たちと鑑識課の捜査員が押し寄せ、捜査がはじまった。「まったく、頼りにならないな」と伊丹憲一が吐き捨てるのを、薫は甘んじて受け止めるしかなかった。

米沢によると、爆弾は巧妙に小包に偽装され、開封すると爆発する仕掛けになっていたらしかった。爆弾はホームセンターでも容易に入手できる材料で組み立てられ、爆薬に硝酸アンモニウム油剤を使ったアンホ爆弾だという。

「アンホ？」

　薫が首をひねると、米沢がたちどころに説明を加える。

「現在最も流通している爆薬です。高威力で大量に、しかも安価に製造できる業務用の爆薬で、爆発後に有毒ガスを発生します」

「それであんなに咳き込んだんですね」

　薫が納得する。

　まもなく宅配業者の伝票の控えから、小包の差出人として珠江の実家が、内容物として果物が騙《かた》られていた事実が判明した。郵便物や小包には十分に注意するように注意していたにもかかわらず、珠江が無防備に開封してしまったのは、そのためらしかった。実家から果物が届いたと思って、疑いもしなかったのだろう。巧妙な手口だった。

　そして、菅原家に爆弾が届けられた日の夕方、今度は郵便物として、二本目の指が届けられた。今回もメッセージ付きだった。

ラッキーだったな
俺が本気だということがわかっただろう
次はあんただ

菅原英人は、身勝手で手に負えない人非人——薫はつくづくこの作家にあきれ果てていた。「珠江が死んだのは俺のせいだ」としおらしく反省したかと思うと、掌を返したように「珠江が死んだのはおまえらのせいだ」とつっかかってくる。身の安全を考えて、自宅から離れた場所にあるアパートの一室を隠れ家にしたところ、一時間も経たないうちから「退屈だ、こんな座敷牢は耐えられない」と騒ぎ立てている。自由奔放と呼ぶには度が過ぎている。無頼漢を気取っているようにしか、薫には思えなかった。

「さて、飲みに行くぞ」

しびれを切らしたように、菅原が腰を上げた。

「だめですって。出歩くと危険です」

「この場所、誰も知らないんだろう？　それにおまえたちもいるんだし」

「勝手に動き回られたら、俺たちだって護りきれません」

「そんなの知らないよ」菅原が開き直った。「俺はもうなにも失うものはないの。どけよ、監禁罪で訴えるぞ！」

無理やり薫をどかすと、ひとりでアパートの玄関へ向かっていく。拘束する権利はないので、特命係のふたりはあとを追うしかなかった。

菅原はアパートから歩いていける繁華街で見つけたクラブに入ると、浴びるように酒を飲みながらまたしてもどんちゃん騒ぎを演じた。ホステスや同じ店にいた客に酒を振る舞い、「飲め飲め、どうせ退屈な人生なんて、死ぬまでの暇つぶし」などとのたまっている。その合間に誰かと携帯電話で話したり、メールのやりとりをしたりと忙しい。そのようすを遠巻きに見つめながら、薫が右京に愚痴った。

「まったく、なに考えているんですかね。まだ、命を狙われているというのに」

右京が悟りきったような口ぶりになる。

「常識とは無縁に生きてきた人です。われわれの常識は彼には通用しませんよ」

「犯人はやっぱり狂信的なファンなんですかね？　それとも愉快犯のようなやつか？」

「どうも、犯人像がすっきりしません。爆弾はおそらくプロの手によるものです。爆弾作りのプロにとって、指はなによりも大切なはず。しかし、犯人は切断した指を送ってきました」

「もしかすると……犯人はふたりいたりして」

薫がそんな推測を口にすると、菅原からお呼びがかかった。

「亀ちゃん！　飲むぞ、付き合え。今日はとことん飲むことに決めた！」

「いったいどういうつもりですか。奥さんを亡くしたばかりでしょう」

薫が忠告すると、菅原が胸倉をつかむ。

「おまえに俺の気持ちがわかるか！」

「ええ、わかりませんよ。わかりたくもない」

「珠江は俺のすべてだったんだよ！」

菅原が大声でわめいた。そのひと言で店内が一気に静まりかえった。

クラブに居づらくなったハードボイルド作家は、それでもまだ飲み足りないらしく、ふたりを韓国料理屋に誘った。肉を焼き、マッコリをあおりながら、菅原が静かに言った。

「本当はこういうとこが一番落ち着くんだよな」

「さっきはすみませんでした」

薫が謝ると、菅原は寂しげな笑みを浮かべた。

「そんなの忘れろよ。それより、飲めよ、亀ちゃん」

右京が許し、薫が「一杯だけ」と応じる。一杯が二杯に、二杯が三杯になる。店を出る頃には、作家も刑事もすっかりできあがっていた。

いい気分になり、肩を組んで石狩挽歌を合唱しながらアパートへ帰るふたりを、ひとりだけ素面《しらふ》の右京が止めた。アパートの部屋の前に見知らぬ男が立っていたのだ。薫の酔いが一気に醒める。

「左手に包帯……まさか」

「きみはここで菅原さんと一緒に待っていてください」

右京がひとりで近づこうとしたが、男が先に気づいた。男が脱兎の勢いで逃げ出す。薫も追おうとして、菅原の腕を振りほどく。とたんに菅原が尻餅をつき、腹を押さえた。

「痛っ、亀ちゃん、腹、痛い!」

薫が作家の具合をうかがっているうちに、男は右京を振り切って逃げた。アパートの前には封筒が残されており、またしても脅迫文が入っていた。手書きで「どこへ逃げても無駄だ」と書かれていたのだ。

不吉な思いでそのメッセージに目をやりながら、いまの男にはどこかで会ったはずだ、と右京は懸命に記憶の引き出しを探っていた。

四

翌朝、殺風景なアパートの一室で目覚めた菅原は、隠れ家を替えるという右京の提案に首を振った。

「もう、うんざりだ!」

「昨夜の不審な男に知られたみたいです。ですから、移りましょう」

薫が訴えたが、菅原は納得しない。流しに近づくと、水道の蛇口をひねってコップに水を注ぐ。

「あんなジャンキーに脅えて暮らすくらいなら、死んだほうがましだ」

「だけど、いつどこで狙われるか、わかんないですよ」

「とにかく、人に隠れて暮らすなんざ、もううんざりなんだよ」水をひと思いに飲み干すと、激しい口調で言う。「俺が終わりにしてやるよ」

そして、菅原英人は緊急記者会見を開いたのである。押しかけた取材陣を前に、神妙な顔で語る。

「苦労をかけるだけかけて、これからってときに妻の珠江はあんなことに……それもこれも私の不用意な発言が原因です。私はもう失うものはなにもない。だけど、犯人にも必ず罪は償ってもらいます」菅原の表情が険しくなった。「犯人に賞金をかけます」

事前に会見の内容を知らされていなかった右京の顔が瞬時に曇った。まったく勝手なまねばかりして、と薫は歯ぎしりをした。突然の衝撃的な発表に会場もざわめいていた。一斉にフラッシュが焚かれた。

「賞金の額は？」

記者のひとりが質問した。

「私の新作『血の贖い』の印税すべてです」

「犯人になにか言いたいことは？」

「俺を殺せるもんなら、殺してみろ」

まじめな顔で作家が挑発し、記者会見は終了した。

翌日、いつもと同じ筆跡の脅迫状が、菅原の自宅に舞い込んだ。

今回は見逃してやることにした
悪運の強い奴だ
命のありがたさを思い知れ
グッドラック

薫がそれを読み上げると、菅原が笑った。

「ははっ、終結宣言か。賞金がこたえたな」

「鑑定に回してみなければはっきりと断言できませんが、本物のようですね」

右京のことばに薫がうなずく。

「それにしても、やけにあっさり引き下がりましたねえ」

「とにかくこれでひと安心だ」菅原が胸をなでおろす。「心置きなく、どこへでも出かけられる。きみたちともグッドラックだね」

「まだ終わったわけではありません」

右京が言うと、菅原は意外な顔をした。

「え？」

「犯人を捕まえるまでは、なにも終わりません」


その犯人も数日内に消息がはっきりした。都下の河川敷でホームレスの死体が見つかった。名前は高林安夫、この男こそ隠れ家のアパートに姿を見せた人物に間違いなかったのだ。男の左手には小指と薬指がなかった。

死体の顔をまじまじと見て、右京はようやく思い出した。

「前にどこで見たかわかりました。例の覚醒剤の張り込みのときです。取り引き現場に現われた男がいたのを覚えていますか」

薫も思い出した。角田から、そいつはいいと言われた男のようだ。そういえばあのときも包帯をしていた。

「そっか、あいつだったのか」

死体の腕にはたくさんの注射の痕があった。死因は覚醒剤の過剰摂取《オーバードーズ》によるショック死であった。死体の持ち物から、小包爆弾の取扱説明書も見つかった。高林がプロに依頼して、爆弾を作らせたのだろうと推測された。切断された指も、DNA鑑定の結果、高林のものであると判明した。

特命係のふたりは、小野田官房室長へ事件の報告をしに行った。ひととおり説明を聞いた小野田は残念そうだった。

「死体で発見されたんですか」

「はい」薫が答える。「筆跡鑑定の結果、脅迫状も高林からのものと断定されました」

小野田が右京を一瞥した。

「なんか不満そうな顔だね」

「高林が覚醒剤を買う金をどう工面していたのか、ちょっと気になっています。爆弾を作らせるにも、お金が必要です」

「だから?」

「いや、なんでもありません」右京は本音を押し殺すように目をつぶった。「いずれにしても、今後二度と菅原英人氏が狙われることはないでしょう」

「なんだか、含みのある言い方だね」

「含みのある言い方をしています」

「どういうこと?」

「いずれわかるかと……」

警察庁の大物幹部と上司のやりとりの意味が、薫にはさっぱり理解できなかった。

その夜、小野田は菅原を呼び出し、ふたりきりで飲みにいった。夜景の見えるバーカウンターに並んで腰掛ける。

「被疑者死亡のまま送検。珠江さんの仇、討ち損ねた」

小野田が沈んだ声で報告すると、菅原が煙草に火をつける。

「いや……犯人は死んだけど、珠江も喜んでいると思うよ」

「おまえ、これからどうする?」

「しばらくスペインで暮らすよ」菅原は肺の底から紫煙を吐き出しながら、「こんな俺でもさ、心に傷を……。また、本でも書くよ」

小野田がぼそっと言う。

「これで最後かもしれないな」

「ああ、スペイン、長くなるかもしれないしな。見送りはいいから。あのふたりにも、そう言っておいてくれ」

「わかった。おまえ、俺になにか言うことないか?」

「ん? そうだな」窓の外のイルミネーションに目をやり、「ありがとう」

ふたりの間にしばし沈黙が下りた。ストレートのウイスキーを口に運んだ小野田が友人のほうへ顔を向けた。

「煙草くれる?」

「孫はいいのか?」

「男なら、煙草のにおいに慣れろって言ってやるさ」

「おい、それは俺の小説のせりふだろ」

菅原が煙草のパッケージから煙草を一本振り出すと、小野田がそれをゆっくり抜き取った。

五

右京と薫が駆けつけたとき、菅原英人は愛人のマンションの前で、タクシーを停めて待っているところだった。

「今日が出発の日でしたねえ」

快晴の空を見渡しながら、右京が言う。

「見送りはいいって言ったはずなんだがね」

そこに荷物を持った女が現われた。胸元を強調したミニのドレスを着、まだ二十代に見える。

「お待たせ」

菅原が女から荷物を受け取り、タクシーのトランクルームに詰め込む。

「女性同伴ですか」

薫が挑発的に迫ると、菅原がそれをいなした。

「まあ、男ひとりだとなにかと不便でね」

「少し、時間をいただけませんか？」

右京が申し出ると、女が睨んで菅原に訊いた。

「誰、この人たち？」

「ちょっと待っててくれ」

菅原は質問には答えずに、特命係の刑事たちをマンション横の公園へといざなった。

「飛行機の時間がある。手短に頼むよ」

うなずいた右京が手短に用件を述べた。

「狙われていたのはあなただと思っていましたが、実は奥さんのほうだったようですね。そして、狙っていたのはあなたです」

「どういう冗談？」

素知らぬ顔をして、作家が訊き返した。それには薫が答えた。

「要するに、すべてあなたの自作自演ということですよ」

「バカ言うなよ、亀ちゃん。犯人はあのホームレスだろ？」

「あいつはただの脇役でした。主犯じゃない」

「そんなくだらない妄想に付き合ってる暇はないね」

菅原が背中を向けて、タクシーのほうへ戻ろうとした。右京がその前に立ちはだかる。

そして、まるで学生に講義をする大学教授のような口調で推理を語った。

「あなたはわざとラジオで不用意な発言をし、自分が狙われる条件を作った。そして、ホームレスから金で指を買い、それを自分の元に送りつけた。つまり、架空の犯人をでっち上げたんです。われわれに警護をさせつつ、珠江さん殺害をたくらんだ。あなたは、最初から珠江さんを殺すつもりでした」

作家は芝居がかったしぐさで、手を打ち鳴らした。

「面白い話じゃないか。作家の才能があるかもしれないよ。でも、いいかな？　俺があの小包爆弾で死ぬ可能性だってあったんだ。あれは俺宛の荷物だった」

右京はまるで動じない。菅原の目を見つめたまま、説明を続ける。

「あなたは、奥さんがあの小包を開けると信じていました。荷物は奥さんの実家から送られてきた。中身は生もの。疑うことなく開けるでしょう。たとえ、あの場で奥さんが開けなかったとしても、あなたが自分で開けさえしなければ安全でした」

菅原が視線を逸らした。右京は追及の手を緩めない。

「爆発のあと、われわれがガスを吸い込んだにもかかわらず、あなたは有毒ガスを吸い込まないように、それとなくタオルで顔を覆っていた。なぜでしょう?」

上司の質問には薫が答えた。

「あなたは爆弾作りのプロともつながりがあったんですね? そいつから有毒ガスを吸わないように事前に注意されていた……違いますか?」

「推測でものを言うなよ」

菅原の声のトーンが上がった。それに対して、右京の声は相変わらず冷静だった。

「推測ではありません。あなたは自分でも気づかぬうちに、自白しているんですよ」

「自白?」

作家の顔に明らかに動揺が走ったように薫は感じた。

「隠れ家付近に不審な男が現われた翌朝です。あなたはこう言いました。『あんなジャンキーに脅えて暮らすくらいなら、死んだほうがましだ』と。あの時点では、不審人物がジャンキー、つまり麻薬中毒者だということはわかっていませんでした。なのに、あなたはそれを知っていた」

菅原は自分の心を落ち着かせようと、煙草に火をつけた。

「姿恰好がそう見えただけだよ」

「高林安夫はしばしばフリーメールで誰かと連絡を取り合っていたようです。あのとき彼が現われたのは、あなたがクラブから携帯メールで居場所を知らせたからでしょう」

薫が説明に割り込んだ。

「わざわざ居場所を知らせたのは、犯人の姿を俺たちに見せるため。しかも、高林を逃がすために芝居までうった。あのとき、急に腹痛を訴えたのは、俺の足を釘付けにするためだった。違いますか？」

「終結宣言も計画のうちのひとつだったんでしょう。ですが、そこであなたは致命的なミスを犯しましたねえ」

「ミス？」

思わせぶりな右京のことばに、菅原が興味を示した。右京はスーツの内ポケットから、一枚の紙切れを取り出した。「今回は見逃してやることにした」ではじまる、終結宣言の手紙だった。

「文字に注目してください。『悪運の強い奴だ』という部分です」

「それがどうしたの？」

薫が今度は一冊のサイン本を取り出した。右京が米沢のために、菅原英人からサインをもらったものだった。

「こちらはあなたが、ぼくの友人に書いてくれたことばです」

人生はできの惡い
小説の如し！

薫が終結宣言文の隣に、サイン本を並べた。

「どちらも『悪』の字が旧字です」

「それだけではありません。『奴』と『如し』の女偏に両方とも同じ特徴があります。つまり、この終結宣言はあなたが下書きした文章なんですよ」

「高林はそれを丸写しにした。だから、あなたの文字の特徴がそのまんま出てしまった」

ふたりの刑事から交互に詰め寄られ、菅原がお手上げというように、深く息をついた。煙草を消して、

「悪人は『悪』って字で蹴つまずくってか」

「それと皮肉なことに『女』でもね」

薫がだめ押しすると、菅原は首を左右に振った。

「シャレにもなんないね」

「あなたは最後に高林さんに致死量の麻薬を打ち、彼を殺害した」

右京が言い渡すと、菅原は顔の筋肉を引き締めた。そして、低い声で反論する。

「ね？ 証拠はあんのか。証拠は？」

「残念ながら、物証はなにもありません。犯行に協力したと思わしき、爆弾作りのプロの所在も不明です」

「証拠がなけりゃ、手も足も出ないだろう。幸いこの国は法治国家だ。さすがの警視庁もお手上げだね」と、作家がうそぶく。「もういいかな。飛行機に乗り遅れちゃうから」

薄気味悪い笑みを浮かべて、菅原が右手を上げた。それをひらひら振りながら立ち去っていく。薫は歯を食いしばって、見ているしかなかった。

「ひとつ教えてくれませんか」作家の背中に向かって右京が問いかけた。「なぜ、あんなにいい奥さんを殺したんです？ 奥さんはどんなときもあなたを支え続けてきた人です」

薫もひと言ぶつけなくては気がすまなかった。

「あなたが自殺しやしないかって心から心配してた。それなのになぜ？ さっきの女ですか？ 愛人と一緒になるだけのために？」

菅原は振り返らずに答えた。

「珠江のことはいまでも愛している。でも、耐えられないんだよ。俺の小説が売れて、あいつがマネージャー代わりになって、俺のすべてを束縛しだした。なんでも型どおりに！　そんな生き方はご免なんだよ！」

激しい語気で言い切ると、しっかり前を見据えて歩き出す。その菅原に右京がはっきりと宣言した。

「いまは時間がなくとも、いつかきっとぼくはあなたを落とします」

そのことばが聞こえたのか、菅原は歩を緩めずに右手を上げた。

そのとき前方から、ひとつの人影がすごい勢いで飛び出してきた。若者のようだった。手になにか光るものを持っている。ナイフだ！　右京は直感的にそれを悟った。

人影はそのまま正面から菅原に体当たりした。ナイフの切っ先が、作家の内臓を鋭くえぐった。血が噴き出し、地面に垂れた。

薫が突進してきて、若者を取り押さえる。現行犯逮捕された若者に、薫は見覚えがあった。作家のサイン会で、『潜時有意』ということばを贈られた作家志望のフリーターだった。

「……なぜだ？」

菅原の質問に、若者はまじめな声で答えた。

「だって、『殺してくれ』って言ってたから」

「こんな退屈な国で生き続けるくらいなら……死んだほうがまし、か」

あまりにも唐突な死だった。菅原は最期まで悪態をつきながら、右京の腕の中で、息を引き取った。

第六話
「消えた死体」

一

「暇か？」

いつもの口癖とともに、組織犯罪対策五課長の角田六郎《かくた》が、ぶらりと特命係の小部屋に入ってきた。サーバーからマグカップにコーヒーを注いでいた亀山薫は、角田の恰好がいつもと違うのに気づいた。ニットのベストはいつもどおりだが……。

「あれ、珍しくシャツに糊がきいてないですね」

「あ、うん、目ざといね」角田は特命係のコーヒーを無断で使い捨てのプラスティックカップに注ぐと、心の底からぼやいた。「いやあ、うちの奥さんさ、いま、ストライキ中。女ってのは、なんで結婚するとああなるかねえ」

「どうなったんですか？」

「いや、あの。ちょっと昔の女がさ」

角田が右手の小指を立てると、薫が興味津々の顔でその話題に食いついた。

「まさか、焼けぼっくいに火がついたとか？」

「まあ、俺だってさ……」

話したくて仕方なさそうな角田は、「それで？」と促されると、照れながら続けた。

「彼女から久々に電話があったわけよ」

「ほおほお、それで？」

「それだけ」

真顔でそう返され、薫は思い切り脱力する。

「なんだ。全然、火なんかついてないじゃないですか」

角田はふいに本題を思い出したという顔になり、

「おまえはフリーだから、昔の女が訪ねて来ても、安心だよな」

「は？」

「来てるよ、玄関に」

かつがれているんじゃないかと半信半疑で薫が一階に下りると、来客用の待ち合わせコーナーに確かに見知った美人がいた。

「真子《まこ》ちゃん！」

若杉真子が頭を下げる。

「ご無沙汰しています」

「びっくりしたな。どうしたの？」

「亀山さん、わたしたち約束守れなかったみたい」

「えっ、あいつ、どうかしたの？　ちゃんと働いてないとか？」

真子は、薫が以前面倒をみてやった若杉栄一という男の妻だった。若杉栄一はかつてヤミ金の取り立て屋をやっていた。その際に傷害容疑で逮捕したときからどうにも憎めず、薫は栄一が更生し立ち直るのをあたたかく見守ってきた。その縁で、栄一と真子の結婚式のたったひとりの立会人にもなった。真子にとって、薫は恩人だった。

「わたし、あの人と別れようと思って……」

薫は真子を近くのカフェに連れ出し、事情を聞いた。栄一の実家は北海道だった。悪事から足を洗った栄一は、真子と結婚して実家に戻った。しばらくは実家の農業の手伝いをまじめにやっていたが、長続きはしなかったようだ。半年前に、事業をやると宣言して、東京に出て行ったのだという。採算の取れる目論見があるわけでもなく、ただ目の前の生活から逃げたいからという理由ではじめる事業が成功するはずもない。案の定、事業は失敗し、再びヤミ金の世界に戻ってしまったらしい。懲りない愚か者だ、と薫は嘆息した。

「約束、守れなくてごめんなさい」

うつむいてお詫びのことばを繰り返す真子に、薫は猶予を願い出た。

「真子ちゃん、もう少しだけ待ってくれないか？　俺、もう一度会って、あいつの目を確かめたいんだ」

その頃、杉下右京は名曲喫茶でクラシック音楽に耳を傾けていた。

顔なじみになっているマスターが右京のテーブルにやってきて、ＬＰ盤のジャケットを見せながら、小声でささやいた。

「杉下さん、入りましたよ。ホロビッツの演奏によるショパンの『葬送行進曲』です」

以前から右京が聴きたいと言っていたレコードだった。ジャケットを眺めて、目を細める。

「そうですか。これは楽しみですね」

「お聴きになりますか？」

「もちろん」大きくうなずきながらも、リクエスト用紙を見せながら、「ですが、先にこの曲を書いてしまいました」

老眼気味のマスターは眼鏡を外して、曲名を確認した。そして、右京の斜め後ろを目で示した。

「このレコードなら、あちらのお客さまもリクエストなさってますね」

右京はゆっくりと斜め後ろを振り返り、軽く会釈した。押し出しのよい紳士が目礼を返す。幾分、表情が険しい。

レコードが自分のリクエストしたエルガーに変わるタイミングで、紳士が右京の隣のテーブルへ移動してきた。間近で見ると、紳士の目は射抜くように鋭く、同時に深い哀しみを湛《たた》えているように見えた。男は多治見《たじみ》修と名乗った。

「そうですか、エルガー、お好きですか。特に『エルガーのミニアチュール』はすばらしい」

流れている優美な旋律に身を委ねるように目を閉じて、多治見がかすれた声で称賛すると、右京が心から賛同した。

「ノーマン・デル・マーの名盤ですね」

「彼の指揮するエルガーは、もう絶品ですよ」

「中でも『愛の挨拶』が特にいいですねえ。その盤だけ他とアレンジが違っているんですよ」

「知っています。いや、ここに『エルガーのミニアチュール』があれば、申し分ないんですがね」多治見は同好の士に出会ったおかげで、最前よりも柔和な顔になっていた。

「いや、すてきな方とお知り合いになれた」

「私もこのお店で初めて他の方と話し込んでしまいました」

「私ね……友だちがいないんですよ」多治見がぽつんと言う。「まして、音楽のお話ができる方など会えるとは思わなかった」

「恐縮です。またお目にかかれるといいんですが」

右京はそう返しながら、この紳士風の男はどんな職業に就いているのだろう、と考えていた。

二

若杉真子から夫の住所を聞いた薫は、とりあえず栄一に会ってみることにした。我ながらお人好しだと思う。しかし、困っている人間を見ると、どうしても放っておけないのだ。

訪ね当てた住所は、安アパートの一室だった。いくらなんでも昼日中にはいないかな、とさして期待もせずに粗末な木戸をノックすると、当人がおずおずと顔を出した。ひと目で失敗続きの人生の悲哀が見てとれるこの小男こそ、他でもない若杉栄一であった。

「あ、亀山さん……」

旧知の刑事の突然の訪問にあからさまにうろたえている。薫は栄一を押しのけるようにして、室内に入った。

万年床の上にはエロ本、座卓の上にはカップラーメンの食べかす、畳の上には脱ぎ散らかした衣服……絵に描いたような男のひとり所帯の光景が広がった。栄一は慌てて窓を開けて換気すると、畳の上のがらくたを全部ふとんに載せて、まとめて折り込んだ。

「真子ちゃん、東京に来てるぞ」そう言いながら栄一の顔をのぞく。「だめだ、こりゃ。やっぱ、別れたほうがいい。真子ちゃんが不幸になるの、目に見えてる。また、ヤミ金の仕事やってるって？」

「はい、そうするしかなくて」

栄一が貧相な顔を、曇らせて答える。

「どういうことだ？」

「俺、こっち来て事業はじめるときに、〇九〇から金借りたんすよ」

「〇九〇金融か？」

呆れる薫をよそに、栄一はビラを見せる。

「保証人不要、ブラックリストＯＫ、即日融資ってんで」

「だめだ。あきらめたよ、おまえのこと。真子ちゃんに報告するよ。救いようがないって」

性懲りもなく愚かなまねを繰り返すダメ男に見切りをつけて、薫が立ち上がった。栄一がその足にしがみつく。

「亀山さん！」

「なんだよ、気持ち悪い」

「したい！」

「なにをしたいって？」

「違う、死体！　死んでる死体見たんすよ。ってか、死体がいなくなったんすよ！」

生きてたら死体じゃないだろう、あるいは、動けるなら死体じゃないだろう、とつっ込もうかと考えていると、栄一がたどたどしく説明をはじめた。要領を得ない内容を整理すると、つまり彼はこのような目に遭遇したらしかった。

ヤミ金の取り立てをやっている栄一の元に、昨日、阿部賢という人物から連絡があった。阿部は借金で首が回らなくなり、自宅の葬儀屋を飛び出して逃げ回っている男だった。その阿部が、金が工面できたので取りに来いと言う。それで栄一が潜伏先のアパートを訪ねたところ、遺書を握りしめた死体が転がっていたらしい。

その遺書には、「ヤミ金が憎い。あの男にもう少し人の心があったら、俺は死なずにすんだだろう。家族や周りの人間までも巻き込んで脅迫するヤミ金の悪質な手口に、俺はもう生きる気力がなくなった」云々と、栄一を非難するような文言が書き連ねてあった。

怖くなった栄一は遺書を回収すると、それを路上で破り捨て、ヤミ金の社長にその旨を報告した。社長は、栄一が嘘をついているのではないかと疑い、確かに阿部が死んだという証拠を持ってくるように要請した。逆らうわけにはいかない栄一が、コンビニでインスタントカメラを購入してアパートに戻ると、死体がなくなっていた。

「おまえ、なぜ、すぐ警察に届けなかったんだよ？」

「だって、遺書に俺の悪口がいっぱい書いてあったから」

「おまえはホント、とことんバカだな！」

「亀山さん、調べてくださいよ！　はっきりさせないと、俺、マズいんすよ」

栄一が真剣な顔で頭を下げる。

「もしその阿部って男が自殺したのなら、脅迫でおまえをパクんなきゃなんなくなるぞ」

「亀山さん、俺、反省してるんすよ。借金チャラにしたら、今度こそ本当にこの世界から足を洗って、真子と一緒に暮らそうって……」

栄一がとことんバカなら、薫はとことんお人好しだった。打ちひしがれてことばを詰まらせる栄一を、どうしても放っておくことができなかったのだ。警視庁に戻って、都内の変死体記録や監察医務院の記録を調べてみた。しかし、該当する自殺死体は見つからなかったのだった。

薫は栄一を呼び出してそれを伝えた。見間違いじゃないのかと薫が問い詰めると、情けない取り立て屋はかぶりを振った。そのうえで阿部賢の妻に確認してくれないか、と執拗に乞う。おかげで、特命係の刑事は一緒に自宅の葬儀屋まで出向くはめになった。

栄一が向かった先は阿部葬祭という、陰気臭い葬儀屋だった。葬儀屋があまり賑やかでも困るが、この沈んだ雰囲気は尋常ではない。

栄一が店内に足を踏み入れると、従業員と話し込んでいた中年女性が顔を上げた。この女性が夫に代わって葬儀屋を切り盛りしている阿部賢の妻、由紀子だった。由紀子は訪問客が借金取りだとわかると、眉間にしわを寄せた。

「またあんた？　何度来たって同じだからね。あの人の借金なんて、あたし、絶対返さないから」

栄一が顔を伏せると、薫がすぐに警察手帳を呈示した。自分まで取り立て屋と間違えられたら困る。由紀子は顔色を変え、お辞儀をした。

「ここはご主人のお店ですよね？」

「あの人の父親が残した葬儀屋です」

「じゃあ、ご主人は二代目？」

軽くうなずいた由紀子が、不満を漏らす。

「ろくに仕事もしないで、借金ばっかりして」

「いまはあなたが、この仕事を？」と、薫。

「ええ、食べていかないといけませんから」

「ご主人、戻られていないみたいですね」

「ええ、いまにはじまったことじゃありませんけど」

そう言って、由紀子は話を切り上げようとした。従業員が席を外したのを見て、薫が近づく。

「実は、ご主人が亡くなっているのを見たという人がいるんですが……」

「そうですか」由紀子は無関心に言い放った。「どうでもいいです。死んでようが、生きてようが。店の売り上げ、何度持っていかれたかしれません。お金返さないと殺されるとか、もう強盗するしかないとか、そのたびに借金重ねて……こんな人にまで借金して！」

由紀子がねめつけると、こんな人呼ばわりされた小男が、ぺこぺこと頭を下げた。由紀子は感情の堰が崩れたように、思いをぶちまけた。

「おかげでずーっとあたしは地獄でした。〝金返せ〟とか〝恥知らず〟とか書かれたビラを店の表のガラス戸に張られたり、ご近所にうちを中傷するファックスを流されたり、この人なんて葬儀の最中まで取り立てに……夫が死んだなら、殺したのはあんたよ！」

「奥さん、被害届出してください」薫が由紀子に申し出た。「そうすれば、俺がこいつもヤミ金も検挙します。そうなれば警察の捜査が入りますから、ご主人の生死もきっとわかります」

由紀子は直前までの興奮が嘘だったかのように声を落とし、うつむきかげんになる。

「もうそっとしておいてほしいんです。これ以上、あたしのところに取り立てに来ないと約束するなら、被害届は出しません」

そう言うと、逃げるように店の奥に入っていった。

阿部葬祭を出た薫は、若杉栄一に詰め寄った。

「メチャクチャな取り立てしやがって！」

胸倉をつかまれた栄一が泣き言を並べる。

「俺だってしたくなかったんすよ……く、苦しいっす……でも、社長がそうしろって……社長に借金があるから……事業に失敗して……」

「なにが事業だ！」

薫がこぶしを開くと、栄一はぺたんと地面に尻餅をついた。

「社長が脅すんですよ。借金が五百万だから五本で手を打つって」

「五本？」

「指です。指を五本出せって。あと、四日しかないんです！」

「ヤミ金なんかに頼るからだ。自業自得だよ」

「亀山さん！　俺の見た死体、見つけてくれよ！　俺が嘘を言っていないって、社長に証明しないと、本当に指が……」

「おまえはもうだめだ。真子ちゃんにも離婚を勧める」

堪忍袋の緒が切れた薫が去ろうとすると、栄一がその前に立ちふさがった。こぶしを握った両手首をくっつけるようにして、薫の目の前に差し出す。

「だったら、いますぐ俺をパクってくれよ、俺も社長も。そんで、罪償ったら、俺、田舎に帰ります。……ってか、北海道に帰りてえ。やっぱ、東京、向いてないっす」

三

結局、薫は栄一を見捨てられなかった。若杉栄一は底抜けのダメ男だったが、亀山薫はそれに輪をかけてお人好しだったのだ。

ふたりから話を聞いた杉下右京が、冷たい目で言った。

「消えた死体ですか。確かに気になる話ではありますね」

うまく上司の興味を引けて、薫が明るい顔になる。

「力、貸してくれますよね？」

右京が栄一に厳しい視線を向けた。

「嫌です。ぼくはあなたのような人が嫌いです。亀山くん、きみはなぜ、彼にそこまで肩入れするんですか？」

「自分の目を信じたいからです」薫が精いっぱい訴える。「こいつがやり直すって言ったとき、その目を見て、大丈夫だと思ったんです。傷害でこいつをパクったんだって、元はと言えば、年寄りからひどい取り立てをする同業者と揉めたからなんです」

「でも、いまの彼はその同業者と同じではありませんか」

「それはそうかもしれませんけど……右京さん、俺、信じた人間に裏切られるの嫌なんです。だから、力貸してください」

薫は居づらそうにしている栄一の後頭部を圧しながら、深々と腰を折った。

「いつもながら感傷的ですねえ」

「だめですか」

「いや、人間としては美徳と言うべきでしょう。もっとも、それが刑事にとってプラスであるとは限りませんが」右京が栄一のほうを向いた。先ほどよりは視線が軟化している。「若杉さん、あなたはその阿部賢という人と面識はあったんですか？」

「ありません」

「ない？」薫が驚く。「だって、金貸したんだろ？」

栄一が脅えたように、上目遣いで旧知の刑事を見た。

「直接貸したの、俺じゃないし、取り立てもいつも電話だったから」

「葬儀の最中に踏み込んだんだろ？」

「そんときも奥さんだけだったし」

「とすると、あなたが見たというその死体、本当に阿部さんだったかどうか、疑わしくなりますねえ」

メタルフレームの眼鏡の奥で、右京の目がきらりと光った。

右京の指摘は正しかった。妻の由紀子から借りてきた阿部賢の写真を見せても、栄一はそれが誰だかわからなかったのだ。年恰好は似ているが死体はまったくの別人物だった、と栄一は断言した。

「なるほど、謎が見えてきました」右京が笑みを浮かべた。「おそらく阿部という人は、若杉さんの厳しい取り立てから逃げるために、身代わりの死体を用意して偽装自殺を図ったのでしょう。もっとも、死体などそう簡単には用意できませんがね」

「あ！」

薫が大声を出した。

「なにか心当たりでも？」

上司の問いに、薫は何度もうなずいた。葬儀屋ならば死体も用意できるのではないだろうか。それが薫の考えだった。

右京と薫は、さっそく阿部由紀子から話を聞くことにした。阿部葬祭に着いたとき、由紀子はワゴン車で出かけるところだった。そのまま車を追跡する。

由紀子が向かった先は明誠総合病院だった。駐車場で車を降りた由紀子が、すごい剣幕で薫に近づいてくる。どうやら尾行がばれていたようだった。

「なぜ、あたしをつけるんですか？」

機先を制されたかたちとなった薫が、たじろぎながら答える。

「あの……ご主人が死んでると通報があった件、お話ししましたよね。それ、殺人や死体遺棄の可能性があるんですよ。だから、調べなきゃならないわけです。それで、まずご主人を捜そうと思いまして……」

「あたしを見張ってもむだですよ」

強気に出た由紀子を挑発するように、右京が言う。

「そうでしょうか？」

「あの人との関係はとっくに終わってますから」

薫が病院の建物を見上げて質問した。

「ところで、なんで病院に？」

質問に答えたのは上司だった。

「契約されているんですよね」

「契約？」

「遺体を引き取る契約ですよ」

右京のことばに反応して、由紀子が首を振る。

「いいえ、今日は違います」

「では、どちらへ？」

由紀子はしばし言いよどんだあと、

「地下に葬儀屋の控え室があるので。仏さまが出たときにすぐに対処できるように」

そんな部屋があるとは薫は初耳だった。合理的ではあるが、ちょっと手回しがよすぎる気もする。

「今日はそちらに詰めるんですか？」

確認のための質問に、即座に由紀子が反応した。

「ついてこないでくださいね！　あたしたちが病院にいるところを一般の患者さんに知られると困るので。病院ともそう約束しています」

なるほど、と薫は納得した。通用口から病院に入ろうとする由紀子を、右京が引き止めた。

「奥さん、三日前に葬儀をされた家を教えていただけますか？　ご主人の死体が目撃された日です」

由紀子の口調がとげとげしくなる。

「なぜ、それを教えなきゃならないんですか？」

「なにか不都合なことでも？」

とぼけた顔で右京が問い返すと、由紀子は腹立たしげなようすで、通用口の奥へ消えていった。

調べてみると、阿部葬祭が三日前に執り行なったのは、八木勇司という男性の葬儀だった。特命係のふたりは、八木家を訪れ、喪主である故人の妻、厚子に面会を求めた。

仏壇で手を合わせながら、遺影に目をやる。どちらも写真でしか知らないけれど、薫には故人が阿部賢と同じくらいの年齢に見えた。向き直った右京と薫が八木厚子に対してお辞儀をすると、面やつれした未亡人はそれに応えて頭を下げた。その向こうでは、まだ幼稚園の年齢にも達していない男の子が、先ほどからクレヨンでお絵描きをしていた。その子が時折漏らす独り言だけが、主を失ったこの家になんとか活気を呼び戻そうと気を吐いているように思える。

「お子さん、まだ小さいですね」

話の糸口を探るように薫が口を開く。厚子がか細い声で応じた。

「主人もそれだけが心残りだったんじゃないかと思います」

いつの間にか男の子は自分用のキャンバスを、与えられた画用紙からもっと大きなものに変更したくなったようだった。襖になにか一心に落書きをしている。振り返った厚子がそれに気づき、「そっちに描いちゃだめでしょう!」と注意した。この子の絵心が如何ほどのものかわからなかったが、薫にはその絵がいったいなんだか、見当もつかなかった。どんぐりがふたつ、伸ばした手をつないで輪を作っているように見えるが……。

「なんですか、その絵？」

母親も把握できていなかったらしい。

「さあ……最近、この絵ばっかりで。すみません。それで、ご用件はなんでしょう？」

右京がおごそかな口調で、嘘をつく。

「実は最近、葬儀で不当な料金を請求されたという被害が多く報告されていまして、ご主人の葬儀はどうだったか、と」

「あら、大変ですね。でも、うちはいい葬儀屋さんでしたから……」

「どちらの葬儀屋さんでしたか？」

「阿部葬祭」という当然の答えが返ってくるのを待って、請求書明細を見せてもらう。明細と一緒に、葬儀のときの写真が入っていた。それを見つけた右京の目が輝く。

「なるほど良心的な価格ですね」

薫がよくわかりもしないままに話を合わせていると、写真を見つめていた右京がなにかを発見したようだった。

「この祭壇なんですが、奥さまがお決めになられたのですか？」

厚子はなにも疑わずに正直に答える。

「いいえ。わたしはそういうことわからないので、すべて葬儀屋さんにお任せしました」

薫が八木勇司の写真を若杉栄一の前に置いた。

「おまえが見た死体って、この男じゃなかったか?」

栄一はじっくりと写真の人物を検討し、

「似てます。でも、わかんないっすね。死体見たの、もう三日も前ですから」

「これはおまえの問題なんだぞ。間に合わねえぞ、あと二日しかない」

薫が言うと、栄一が肩を落とした。なぜだかこの小男は、しょんぼりとした姿が似合っている。

「そうなんすよ。社長から電話があって、『どの指、差し出すか決めたか』って」

「で、決まったのか?」

「決まるはずないでしょう!」

「おまえ、右利きだろ? だったら左手の五本でいいじゃないか。あ、それだと煙草が吸えないか。右は人差し指と中指、左はそれに親指を残したらいいんじゃないか?」

「なんすか、それ?」

「右手で煙草をはさみ、左手でライターをつける。両手でピースもできるし」

薫の笑えない冗談を聞き、気持ちがピースにならない栄一だった。

薫が特命係の部屋に戻ると、鑑識課の米沢守が右京と肩を寄せ合ってなにかをのぞき込んでいた。

「どうしたんですか？」

「八木さんの葬儀の祭壇の写真を米沢さんに調べてもらっています」

右京のことばに応じるように、米沢が意見を述べた。

「これは棺を後ろに安置するタイプの祭壇ですね」

「変わってますよね？」

「さほど珍しくはないようです。名古屋などではよくあるタイプとか」米沢は右京と別の見解を披露している途中で、別の事実に気づいたようだった。「あれ？　でも、これは珍しいかもなあ」

「と、言いますと？」

「よく見ると、棺の上に祭壇が載っています」

その夜、ふたりが阿部葬祭を訪れると、由紀子は露骨に迷惑そうな顔になった。

「なんのご用ですか？」

その質問には直接答えず、薫が本題に入った。

「あなたが葬儀をした八木さんにお話をうかがってきました。通夜から葬儀にかけて、ご遺体がどんな状態だったか、を詳細に。通夜のとき、遺体は布団に寝かされていたそうですね。そして、通夜が終わった次の朝、祭壇を組むときに遺体は棺に納められた」

「ええ、それがなにか?」

半ば喧嘩腰の由紀子の質問には右京が答えた。祭壇の写真を手にしている。

「棺の上に載せる珍しいタイプの祭壇らしいですね。しかも、あなたはこの祭壇を組むとき、その部屋からご遺族を出て行かせたとか」

「祭壇ができるまで、休んでいただこうと思って。いけません?」

「つまり、部屋にはあなただけ、いや、正確にはあなた方だけだったわけですね」

「なにが言いたいんですか?」

ここで薫が割って入る。

「そんな力作業、あなたひとりでできるはずがない。そのとき一緒にいたのは、ご主人じゃないですか?」

証明問題を解く数学者のように、右京がひとつずつ論理的に推理を述べる。

「あなた方は、ご遺体の入った棺と空の棺をすり替えたんです。この祭壇を組み上げると、ご遺族は棺を開けてご遺体を拝めません。つまり、棺が空でも、誰にもわからない。だから、あなたはこのタイプの祭壇を選んだのでしょう」

ここまで追及されても、由紀子は白を切った。

「なぜあたしが棺のすり替えなんてするんですか？」

右京はなぜそんな自明なことを訊くのかと驚いたような顔になった。

「もちろん、八木さんのご遺体が必要だったからですよ。ご主人と同じような年恰好ですから、偽装自殺に使えると思ったのでしょう。あなたはご主人とご遺体の入った棺を運び、人気《ひとけ》のないあのアパートにご遺体を寝かせ、若杉さんを電話で呼び出した。金が工面できたと言えば、彼は飛んでくるでしょう。それでやって来た若杉さんは、そのご遺体を阿部さんだと勘違いした。さらに、彼はそこで自分が悪く書かれている遺書を見つけた。そうしておけば、彼が警察には届けないと考えたのですね？　案の定、彼はその遺書を破り捨ててしまった」

由紀子は無言で立ち尽くしていた。薫が推理の続きを語る。

「その後、彼が現場から逃げたのを確認したあなた方は、八木さんの遺体を再び棺に入れ、葬儀場に戻った。問題は、いつ棺を元に戻したかですが……」

「無理です、そんなこと」ようやく由紀子が息を吹き返す。「ご遺族がずっと祭壇を見守っていらっしゃいましたから」

「しかし、葬儀が終わって出棺のとき、あなたは遺族や弔問客を、また部屋の外へ追い出したそうじゃないですか」

「当然です。祭壇を解体して、棺を出さなければならないんです！」

「そのときだったら、遺体の入った棺を元に戻せます、よね？」

薫はこれでチェックメイトだと思った。しかしながら、敵はなかなかしぶとかった。

「できるというだけで疑うんですか？　じゃあ、お訊きします。どんな証拠があると言うんですか？」

そこをつかれると、ぐうの音も出ない薫だった。ここまで攻めても自白しないとは意外であった。

「必ず用意します」と、右京が宣言した。

四

翌朝、薫は焦っていた。右京は自信満々に証拠を用意すると言っていたが、薫にはそれが不可能に思えたからだ。今日中に偽装自殺を証明しないと、若杉栄一の指が半数に減ってしまうかもしれない。

「八木さんの遺体はもう焼けてしまっています。だから、それが偽装に使われた死体だとは証明できません。どうするんですか、右京さん？」

「遺体が焼けているということは、棺も当然一緒に焼けていますね」

「当たり前ですよ」

「では、空の棺はどうなったんでしょう？」

「空の棺?」

　薫には変わり者の上司の考えが読めなかった。

　薫はよくわからないまま、上司に連れられて阿部葬祭を訪ねていた。若杉栄一も一緒だった。

　右京の言う空の棺というのは、八木勇司の葬儀の際に由紀子によってすり替えられた棺のことだろう。しかし、それがどうだというのだ。偽装工作に使用されていた痕跡でも残っていれば、もちろん物証にはなる。しかし、一回使ったからといって、元に戻してしまえば他の未使用の棺とは区別がつかないだろう。

　阿部由紀子は不在だった。右京が従業員に頼み、保管されている棺を見せてもらう。ふたりは裏の倉庫に案内された。

　プレハブ造りの倉庫には、白木《しろき》の棺が立てて陳列されていた。材質の違いで微妙に色合いが異なったり、彫刻が施されているものがあったり、よく見るとひとつひとつ違っている。右京は、それらの棺をつぶさに観察していく。運搬時にできたかもしれない傷でも捜しているのだろうか。しかし、もし傷が見つかったとしても、その棺が八木家の葬儀に使われたと立証するのは難しいのではないだろうか。

　否定的な気持ちで薫が立ち並ぶ棺をひととおり見終わったとき、右京が手招きした。

右京が指差したものを見て、薫は考えを改めた。なるほど、これならば立証できる。

社長をここへ呼ぶように、栄一に命じる。ヤミ金の社長を待つ間に、阿部由紀子が帰ってきた。

由紀子はいきなり皮肉を浴びせた。

「刑事さんたちも暇なんですね」

右京は余裕のある表情でそれを受け流した。

「あなたにお見せしたいものがあるんですよ」

そう言って、裏の倉庫へいざなった。右京は先ほどの棺の前で足を止めると、「阿部さん、ここにある棺はまだ使われていませんね？」と問う。

「もちろん」

「そうですか。この棺が証拠です」

薫がその棺の側面を指し示した。クレヨンの落書きが目に入る。どんぐりがふたつ、手をつないでいるような意味不明の絵だった。

「これがなんのマークだかわかりますか？」

由紀子がゆるゆると首を振る。

「ぼくもわかりません。でも誰が描いたのかはわかります。八木さんのお子さんですよ」

　すかさず薫が補足した。

「なぜ、ここに八木さんのお子さんの落書きがあるのか。それはこの棺が八木さんの家にあったからです。子どもにとって葬儀は退屈ですからね。ついつい、いつもの癖で落書きしてしまった」

「これでもまだ否認なさいますか？」

　右京が追及すると、由紀子はついに折れた。

「罰当たりなまねをしてしまいました……」

「じゃあ、阿部賢はまだ生きてる？」

　ようやく状況を理解した栄一が頓狂な声を出した。由紀子は取り立て屋に向き直った。

「生きてるわ。でも、主人もあたしも何度死のうと思ったことか。それもこれも、あんたたちのせいよ！　あんたたちが自分のせいで死んだと思ってくれたら、もうあんな取り立てはしなくなると思ったのに……」

　由紀子が悔し涙を流すと、栄一はうなだれて目を伏せた。

「すみません」

　そのとき戸口のほうから、かすれたドスの利いた声がした。

「取り立て屋が簡単に謝ってはだめですね」

「社長！」

雷に撃たれたかのごとく、栄一が直立不動になる。つられて社長と呼ばれた男を一瞥した右京も、驚きの表情に変わった。金貸しの社長のほうも意外そうな顔をしている。意味がわからず薫が見つめていると、社長が先に口を開いた。

「奇遇ですね、こんなところで」

右京もすぐにことばを返す。

「そうですか……まさか、あなたが……」

社長は由紀子を冥《くら》い目で見据え、

「ご主人が健在でなによりです」と、片頰に残忍そうな笑みを浮かべた。「では、いますぐ全額返済してもらいましょうか」

目がまだ赤い由紀子は、蛇ににらまれた蛙のように身動きできなくなっていた。右京が力強く言う。

「社長、私が刑事だということを忘れてもらっては困ります。あなたを逮捕します」

「どんな冗談ですかな？」

「冗談ではありません。あなたの会社が設定している金利と、あなたが命じている取り立ては、明らかに違法です」

鼻白んだようすの社長が言い返す。

「ではこの場で、返済を法に準ずるものとするならどうでしょう?」

「結構。しかし、脅迫があったのは事実ですから」

「なるほど。あなたはどうしても私を捕まえたいわけだ」社長は動揺を隠して、「うちには優秀な弁護士がいます。まあ、すぐに出ることになるでしょう。そんないたちごっこに、あなたのような人が首をつっ込んでも仕方ないでしょう」

右京の顔が曇った。口調に厳しさがこもる。

「私はあなたのような人が嫌いなんですよ」

「思ったとおりだ。やはり、私には友達ができない」

ヤミ金業界のカリスマ社長として鳴らしてきた多治見修は、唇を噛んで天を仰いだ。

五

由紀子の夫、阿部賢は明誠総合病院の葬儀屋の控え室に隠れていた。居場所をつき止められて姿を現わした阿部賢は、「全部俺がやりました」と罪を認めた。「妻はいっさい関係ありません」と由紀子をかばうのが、彼に張れるたったひとつの虚勢だった。

取り調べを受けた若杉栄一は、そのまま無罪放免で解放された。執行猶予期間中ではなかったのが幸いしたのである。「今度こそきっぱり足を洗います」と薫に約束した栄一は、真子と一緒に北海道へ帰っていった。

留置場に放り込まれた多治見修のもとには差し入れが届いた。心当たりのない荷物をいぶかりながら、薄っぺらい紙袋を開いてみると、中にはLPレコードが入っていた。『エルガーのミニアチュール』には、短くひと言「友より」というメッセージが添えられていた。

「レコードを差し入れるなんて、右京さんも意地が悪いですね。刑務所に持って行っても、聴けませんよ」

「ま、それもひとつの罰です」

警視庁へ帰ろうと街を歩いていた右京が、ふと立ち止まる。薫が上司の視線を追うと、小さな商店の店先に新発売のチョコ菓子のポスターが貼ってある。その絵は、見ようによってはどんぐりがふたつ手をつないでいるように見えた。

「八木さんのところへも、報告に行かなければなりませんね」

「ええ、まあ、遺体なしで葬式やったわけですからね」

「では、差し入れでも買って行きましょうか」

大の大人がふたりそろってチョコ菓子を買い求めるので、いったいなにごとだろう、と店主は首をかしげた。

第七話
「命の値段」

一

「夕方になったら人世《じんせい》横丁に行きましょう」

上司の杉下右京から、そう声をかけられて、亀山薫は戸惑った。右京のなじみの小料理屋は、別れた妻がひとりで切り盛りしている〈花の里〉である。英国趣味でスコッチも好きなので、シングルモルトの品揃えのよいバーなどにもときどき顔を出しているようだ。しかし人世横丁といえば、池袋の東口、サンシャイン60ビルにほど近い、カウンターだけの小さなスナックや大将がその日の気分でやっているような酒場が立ち並ぶ古くからの一角である。上司の趣味とはちょっと違う気がした。

案にたがわず、右京はここで一杯引っかけて、部下に日頃の鬱憤を晴らさせてやろうと考えたわけではなかった。殺人事件の独自捜査に乗り出し、それに部下を引き込んだのだった。ま、いつものことだ、と薫はあきらめた。

容疑者はすでに自首していた。天下の神田グループの会長の座に君臨する神田喜一という大物である。右京以上にこの横丁に似合わない男である。そう言えば、テレビは朝からこのニュースで持ちきりだった。捜査一課もこの事件で色めき立っていた。そんなところにのこのこ顔を出して平気なのだろうか。ま、それが特命係のスタイルか、と薫は思い直した。

「神田氏は昨夜ここで飲み、泥酔状態だったそうです」

右京が鹿爪らしく言った。

「テレビでも言ってましたよ。酔った勢いでついつい見ず知らずの人と喧嘩しちゃったって。最近息子さんを亡くして、酒量が増えてたらしいじゃないですか。でも被害者の久保田さんでしたっけ、彼もついてないですよね。うちどころが悪くてお陀仏とは」

「そんなに飲んでいたのなら、店の人の記憶に残っていてもおかしくはありません」

要するにどの店で飲んだのか、調べようというのだ。犯人が自首しているのにご苦労なことだが、どのみち暇な特命係である。小部屋でじっとしているよりも外で身体を動かしていたほうが性に合う薫は、仕事ができるだけでうれしかった。

それからふたりは手分けして、聞き込みを行なった。人世横丁にある飲み屋の数はそれほど多くはない。三十軒ほどの店をしらみつぶしに回ったが、神田喜一を覚えている店はなぜかひとつもなかった。

翌日、ふたりは都心から離れた郊外にある神田喜一の自宅を訪問した。さすがに大企業の会長宅だけあり、広々としたゆとりのある設計の邸宅だった。あえて平屋で建てられているところに、神田の矜持がそこはかとなく感じられる。

妻の礼子は驕ったところのまるでない物静かな女性だった。ひとり息子を亡くしたばかりなのに、今度は夫が傷害致死容疑で捕まった。心の余裕などないに違いないのに、刑事たちのぶしつけな訪問にもきちんと対応してくれて、ふたりは大いに助かった。

「事件が起こったのは、一昨日の深夜、日付で言えば昨日の午前三時すぎなのですが、その夜、ご自宅を何時に出られたのでしょう？」

「確か深夜の一時まではは家におりました」

「つまり、深夜一時にここを出られたわけですか？」

薫が確認すると、右京が指摘した。

「しかし、ここから池袋までは、たとえ深夜で道が空いていても、車で一時間はかかりますね」

「じゃあ、飲みはじめたのは深夜二時？」

「人世横丁は遅い店でも二時には閉まります」

「え、飲む時間がないじゃないですか？」

刑事のかけ合いを眺めていた礼子が口を開く。

「信じられないんです、主人が飲むお店はいつも決まってて。第一、主人がお酒に酔って、人さまを殴るなんて……わたしの知ってる主人じゃないみたい」

返すことばに困り、薫が棚に目をやると、家族三人の写真が収まったフォトスタンドが目に飛び込んできた。礼子を中心に、向かって右に夫の喜一、左側には見るからに賢そうな青年が写っている。

「息子さん、ですね？」

「陽一郎の死が主人を変えたんでしょうか？　本当に愛してましたから。すでに会社をひとつ任せていて、将来は自分の跡を継がせるのだと……」

ここまで必死に涙をこらえていた礼子が声を詰まらせた。


続いてふたりは、殺された久保田の勤務先である保険会社を訪れた。面会に応じた久保田の上司、柳瀬は開口一番、意外な事実を明かした。久保田正は神田陽一郎の示談を担当していたという。偶然にしてはできすぎだ、と柳瀬は私見を語った。

「じゃあ、神田喜一さんは久保田さんと面識があったんですね？」

薫が身を乗り出した。いままで容疑者と被害者の間には接点がないと思われていたのが、覆りそうなのである。しかし、柳瀬の答えは薫の期待を裏切るものだった。

「いや、それはないと思います」

「どうしてですか？」

「私も何度か同席したんですが、神田さんの示談はずっと、先方の顧問弁護士が窓口になっていましたから。事故死したのは神田グループの御曹司ですからね」

「どのような事故だったのでしょうか？」

右京が訊くと、柳瀬は事件当時の写真を見せながら説明した。

「暴走したモーターボートが神田さんの乗っていた釣り船に衝突しまして。ボートの整備不良が原因だったようです」

「釣り船だったってことは、被害者も結構多かったのですか？」

「ええ。五人けがをして、ふたり亡くなっています」

「そのうちの亡くなったひとりが神田陽一郎さん？」

「はい。これが彼の示談書です」

柳瀬が差し出した示談書を薫と右京のふたりでのぞき込む。すでに示談は成立していた。

「まだ、二十四歳だったんだ……でもこれ、ちょっとすごいですね」

薫は賠償額の高さに舌を巻いた。そこには、二億九千五百五十五万円という数字が記されていたからだ。

二

新事実を知った右京と薫は、東京拘置所に勾留中の神田喜一に面会に行った。薫はこれまでにテレビや雑誌で何度か神田グループ会長の顔を見ていたが、実際に会ってみると、印象がずいぶん違っていた。想像していたよりも、ずっとぶっきら棒で寡黙な感じなのだ。愛想のよい能弁な神田は、マスコミ向けの外面なのか、それとも失意に沈んだ末の変貌なのか。神田は静かに面《おもて》を上げると、関心なさそうな目で刑事たちを見つめた。

ガラスの向こう側の神田に見えるように、薫は久保田の写真を掲げた。右京が尋ねる。

「この人物に、見覚えはありますね？」

神田が神妙な顔つきで答える。

「私が殺《あや》めてしまった方です」

「それで、この方はどなたでしょう？」

「ですから、私が殺めてしまった方です」

「あなたの息子さんの示談係でしょう？」

しらばくれてはいけないと忠告するように、薫が久保田の写真を神田の目の前で振った。すると、神田は虚をつかれた表情になった。

「まさか、ご存じなかった？」

「この方、あの事故の示談をしていたんですか？」

無表情を取り繕っているので、神田の本心が薫には読めなかった。

「本当に知らなかったんですか？」

「息子の示談は弁護士の先生にお任せしていたので」

「そのようですねえ」と右京。「事件のときはかなり酔っていたらしいですね。人世横丁で飲んでいらっしゃったとか？」

「はい」

「それは変ですね。あなたはその夜、深夜一時までご自宅にいました。あなたのご自宅から事件現場まで一時間かかります。しかし、あの界隈の店は二時には閉まります。つまり、あなたにあそこで飲む時間はありません」

神田がそわそわし出した。落ち着きを失い、視線も定まっていない。右京の追及が続く。

「あのときあなたは飲んでいなかった。だから、酔っていなかった。にもかかわらず、見ず知らずの人を殴って死なせた。あなたがそんなことをするはずはありません」

「あなた、この人物を知っていたんでしょ？」薫が写真を突き出して、語気も荒く迫った。「彼が息子さんの示談係だと！」

「私がそんなことを知るはずが……」

言い逃れようとする神田の前に、今度は署名捺印が完了した示談書を突きつける。

「これがなんだかおわかりですね？」

ガラス越しに自分の署名を認めた神田は、渋々うなずいた。

「息子の示談書です」

「例えば、あなたはこの示談に不服で示談係の彼を呼び出し、争いになり……殺害した」

右京が指摘すると、神田はますます落ち着かなくなってきた。震える目で右京を見つめると、突然頭を下げる。

「すみませんでした」

「それは自供と受け止めて、よいですか？」

「たったひとりの跡取りを事故で殺されたんです！　それなのに示談係が提示した賠償額はたった三億！」話すうちに興奮が蘇ってくるのか、神田の息が荒くなる。「あの夜、それがどうしても我慢できなくなって、彼をあそこに呼び出しました。そして、いつの間にか揉み合いになり、気がついたら路地に転がっていた酒瓶を彼の頭に振り下ろしていたんです」

「なんでいままで黙っていたんですか？」

「殺人より傷害致死のほうが、罪が軽く済むと思って……本当にすみませんでした」

神田が自供したちょうどそのとき、面会室のドアが開き、捜査一課の伊丹憲一と三浦信輔が血相を変えて踏み込んできた。

「なにやってんだよ、おめえら！」

伊丹が薫に向かって吠えると、三浦はもう少し冷静に右京に迫った。

「こんな接見、許した覚えはありませんけど」

「たったいま、彼が殺人を自供しました」

右京が厳かな顔で告げると、捜査一課の刑事ふたりはぽかんとした顔になった。

警視庁刑事部捜査一課では神田喜一の送検準備が行なわれていた。大物の送検とあって、いつもは部長室にこもっている内村部長も、常に金魚の糞のように部長のあとについている中園参事官も、それに立ち会っていた。

そこへ伊丹と三浦が駆け込んできた。

「おい、送検作業、一旦ストップだ！」

伊丹が大声を出し、三浦が理由を部長と参事官に説明する。

「神田の送検事由を傷害致死から殺人へ切り替えます」

「えっ、殺人？　なんでだ？」

中園よりも内村のほうが、察しがよかった。

「自供したのか？」

「はい」苦虫を嚙みつぶしたような顔で伊丹がうなずく。「ただ、正式な取り調べではなかったんですが」

そう言って、手で部屋の入り口のほうを示す。そこには右京と薫が立っていた。全員の視線を浴びて、特命係のふたりがお辞儀をした。そのうえで、右京が前に進み出る。

「送検作業、少し待ってもらえませんか？」

「そうですよ。自供させたの、俺らなんですから」

薫が話を合わせると、右京が部下の軽口をたしなめた。

「きみは少し黙っていてください」

内村がそのことば尻を取って、日頃から憎々しく思っている相手に鬱憤をぶつけた。

「杉下、黙るのはおまえだ。これ以上捜査を混乱させるな！」

「いや俺らはね……」

言い訳をしようとする薫を手で制して、右京は恭しく一礼すると、部屋から出て行った。薫も憤然としながら、上司のあとを追う。

「せめて自白調書に俺らの名前書かせてもらいましょうよ」追いついた薫があきらめきれずに言う。「また、あいつらの手柄になっちゃいますよ。どこへ行くんですか。もう、事件は終わったんでしょ？」

右京が足を止めて言った。

「まだ、はじまったばかりですよ」

右京と薫はその足で、再び保険会社を訪れた。前回と同じように、柳瀬がふたりの相手をした。

「示談交渉はスムーズに運んだんですか？」

右京が訊くと、柳瀬は首肯しながら答えた。

「ええ、なんら問題はありませんでしたが」

「神田さんは不満だったのに、顧問弁護士が勝手に示談を進めちゃったとか？」

薫が水を向けても、柳瀬は笑って否定した。「それはありません。どちらかというともう一方が難航していたようです」

「はい？」

「神田グループの御曹司ばかり報道されてますけど、あの事故ではもうひとり亡くなっているんです」

「そうでしたね。ちなみに、どなたでしょう？」

柳瀬は資料を開いて、刑事たちに見せた。薫が読み上げる。

「えっと、辻篤志……あ、神田さんの息子さんと同じ二十四歳だ。この示談も、あなたと亡くなった久保田さんとで？」

「いいえ。この示談は久保田ひとりでやっていました」

丹念に資料を見ていた右京が、おもしろいことに気づいた。辻篤志の住所は豊島区の東池袋になっていたのだ。

資料にあった住所を尋ね当てた薫は偶然の一致に驚いた。亡くなった辻篤志の住まいは人世横丁の中の〈真理子〉という名のスナックだったのである。

確かこの店には神田喜一の足取りを調べるために聞き込みに来たはずだ、と薫は思い出した。ノックをして、薄暗い店に入る。刑事たちを開店前にやってきた客と勘違いしたママは、「ああ、もう開けますから」と接客用の笑顔で迎えた。

「辻真理子さんですね」

薫が会釈しながら訊くと、ママはようやくその男が以前聞き込みにきた刑事であると気づいた。すぐに笑顔が消失した。よく見ると、ママの目の周りには隈ができていた。ひどく疲れきったような表情である。

「あ、あのときカミヤのことを尋ねにきた刑事さん？」

「カミヤではなく、カンダです。神田喜一さん」

薫がすかさず訂正すると、真理子はそれを認めた。

「ああ、そうね。最近ニュースでよく見ます」

警察手帳を呈示して身分を明らかにした右京が質問する。

「この近くで発生した殺人事件のニュースですか？」

「ええ」

「彼の息子さんが事故死したニュースはご存じですか。あなたの息子さんも同じ事故で亡くなっていますよね？」

いきなり話題が変わり、真理子は一瞬ことばを失った。声のトーンが下がる。

「篤志のことを訊きに来たの？」

カウンターの隅に若い男の写真が飾ってあった。薫はそれに目をやり、「これが息子さんですか？」と、自明の問いを放った。

「最後の写真よ」

「息子さんの示談、まだお済みでないとか？」と右京。「神田さんのほうは済ませたようです」

「だから？」

「あなたのほうにはなにか問題でもあるのか、と」

「なんでそんなこと話さなきゃいけないのかしら」

真理子がくたびれたようなしぐさで煙草を取り出し、ライターで火をつけた。

「無理にはお訊きしませんが」

「示談ね」真理子は一服大きく吸い込むと、煙をすべて吐き出した。「篤志が死んで、まだそんなに経ってないのよ。それなのにお金の話なんて……話はそれだけ？　だったらちょっと飲んでいってよ」

「いや、まだ勤務中ですので」

右京が断ると、真理子がぴしゃりと言った。

「じゃあ、とっとと帰って！」


勤務が終わったふたりは〈花の里〉で飲んでいた。どう考えても、〈真理子〉よりはこちらのほうが落ち着けるふたりだった。日本酒で身体が温まったところで、薫が上司の本音を探ろうとした。

「右京さん、犯人は神田さんじゃない、と思ってます？」

右京は猪口を口に運びながら、「はい」と短く答えた。

「示談が成立したあとに示談係が殺されてるからですか？」

「それもあります」

「偶然、同じ事故で同じ歳の人が死んでいるからですか？」

「それもあります」

「偶然、事件現場とあの母親の店が近いからですか？」

「それもあります」

「神田陽一郎さんと辻篤志さんがよく似ているからですか？」

「はい？」

突然右京の顔が強張ったのを見て、薫のほうが恐縮した。心に秘めていた疑念を口にする。

「さっきの母親の店にあった息子さんの写真なんですけど、神田さんの息子さんと似てる気がしたんですよ。ま、俺が感傷的になりすぎて、そう見えただけかもしれませんけど」

「いや、それだけではないかもしれません」

やけにきっぱりと上司が言った。

三

辻真理子は起き抜けの不機嫌な感情を隠そうともせず、「非常識よ」と言った。それは当然だったかもしれない。水商売の仕事に就いている女性を訪ねるのに、昼間の時間帯は本来ならば避けるくらいのデリカシーがあってしかるべきところである。

もちろんそれは右京の作戦だった。そして、いきなり相手を怒らせるようなせりふを放つのも、同じく作戦だった。

「調べたのですが、あなたには結婚の形跡がありません」

ため息をひとつついて、真理子がなげやりに言う。髪は乱れたままで、部屋着の胸元ははだけている。

「してないもの、結婚なんて」

「つまり、事故で亡くなった篤志くんは、父親の認知を受けていない……」

「ちょっとあんた」真理子の目が険しくなった。「なんの権利があって、人のプライバシーを……」

右京は真理子の抗議を平然と無視した。

「篤志くんの父親は」ここで神田喜一の写真を取り出す。「この人ではありませんか？　あなたは先日、この人のことを〝カミヤ〟と呼びました。それが少し気になりましてね。調べたら、神田さんの旧姓が上谷《かみや》でした。神田さんは婿養子だったんですね。あなたは彼の結婚前の姓を知っていました。つまり、あなたは結婚前の彼を知っている。違いますか？」

真理子の目からふと力が抜け、うつろな表情になった。

「ヤな人ねえ。忘れたかったのに……」

「どういう意味ですか？」薫が人情味のこもった口調で話しかけた。「聞かせてください」

「捨てられたのよ、上谷に、二十四年前」

「二十四年前ということは、そのときあなたは妊娠なさってた？」

「そう。で、あっちも身ごもってた」

「それで彼は、あなたではなく、資産家の娘である、いまの奥さんを選んだ」

「自分の事業を成功させるためにね」真理子の顔に感情が戻ってきた。ははっと空虚な笑いを浮かべたあとは、気持ちの高ぶりを抑えられなくなってしまった。「土下座したのよ、あたしに別れ話を切り出したとき。慰謝料いくらでも出すって。そんなもの欲しくなかった！　そんなこと望んでなかった！」

つらい過去が眼前に蘇ってきたのだろう。深く息をつく真理子の目尻に悔し涙がたまっていた。はだけた胸元が興奮で紅潮している。薫は思わず目を逸らした。

「頼んだのに、お腹の子は認知してもらえなかった。恨んだわ……いや、いまでも恨んでる。あの男は神田グループの会長なんて言ってるけど、本当はあたしと篤志を捨てて逃げた、卑怯な男なのよ！」

「皮肉ですね」

右京がぽつんとつぶやくと、真理子は無念さを全身ににじませて応じた。

「そうよ。まさか、あのときの子がふたりとも同じ事故で死ぬなんて。罰が当たったのよ、あの男に」

「事故のあと、神田さんはここへ来たんですね？」

「あの事故があってから、あたし、店も開けずに、ここにあるお酒を全部飲んだわ。あの男が来たのはそんなとき。それが二十四年ぶりの再会。あたしに謝りたかったのかもしれない。だけど、いまさらそんなことば……だから、言ってやったの。『お客さん、どなたですか?』って。そして追い返したわ」

「しかし、それ以来、度々ここへ来るようになった?」

右京が問いかけると、真理子は黙ってうなずいた。薫が核心をつく。

「あの事件が起きた夜も来たんですか、ここへ?」

「来たわよ。でも、追い返したわ。いつものように」

特命係の刑事には神田喜一との接見が認められていないらしかったが、右京にとってはそんな警視庁内部の細かないさかいは興味なかった。会わねばならないときには、会う。だからまた、拘置所の面会室で神田とガラス越しに対面していたのである。もちろん、薫も一緒だった。

「もう一度お訊きします」右京が厳粛な声を出した。「辻真理子さん、知っていますね?」

神田は目を伏せたまま、即答した。

「知りません」

「しかし、真理子さんはあなたを知っていました。あなたがかばっているのは、彼女ですね?」

神田が眼差しを上げた。しかしその目の焦点は、仕切りガラスの反対側にいる刑事たちではなく、通話の便宜を図ってガラスに開けられた穴に合わせているようだった。内面の強い自制心を感じる。

「……なんのことでしょう？　殺したのは私です。だいたい、その女性に彼を殺す理由があるんですか？」

思わず薫が口をはさんだ。

「ありますよ。あなたに理由があったように」

「私に？」

「あなたは示談金が不服で示談係の久保田さんを殺害したと言った。だったら、彼女にも同じ動機が成立します。しかも彼女は、あなたと違って示談が難航していた」

「刑事さん」神田の目の焦点は今度は右京に当てられた。意志の強そうな強靭な視線だった。「それは、その女性が殺した証拠になるんですか？　それで、その女性を逮捕できるんですか？」

「状況証拠にはなるでしょう。でも、逮捕は無理でしょうね、自白でもない限り」

「私はその自白をしているんですよ」

薫が激情をストレートにぶつける。

「違う！　あなたはどう見ても、彼女をかばってる！」

「何度でも言います。殺したのは私です」

神田が、揺るがぬ決意を込めて静かに語った。


主のいない特命係の小部屋で、角田《かくた》六郎がひとりでテレビのニュースを観ていた。このところ連日マスコミを賑わせている神田喜一関連の報道だった。

そこへ主が戻ってきた。角田が顎で画面を示しながら、特命係のふたりに言った。

「三億でも不満だっつって殺しちまうんだからよ、金持ちってのはヤだねえ」

「三億かあ」

薫が感慨深げに言うと、角田がうらめしそうな顔をした。

「宝くじでも当たんねえ限り、俺たちには拝めんよ」

薫の耳には角田のぼやきなど入ってこなかった。真理子のことが脳裏に浮かぶ。

「やっぱ三億ふんだくるまでは、納得できないですよね。同じ事故で同じ歳の人が死んでるわけですから」

そのことばに右京が敏感に反応した。つかつかと薫に詰め寄ると、

「亀山くん、お手柄です。きみはまったく面白い人です。大切なことに気づいたかと思えば、その実、ほとんどなにもわかっていない。保険会社へ行きますよ！」

そう言って、コートを手にすると部屋から出て行く。上司に褒められたのかけなされ

たのか、いまひとつ判然としない薫があとに続き、角田がまたひとり残された。

四

「嫌がらせかしら？」

今回の辻真理子の第一声はそれだった。右京と薫は示談を担当した保険会社で調べ物をしたあと、またしても昼間に〈真理子〉を訪れたのだった。

右京の第一声はこうだった。

「神田さんはいつも夜、こちらを訪ねていたようですね」

「え？」

「あの事件の夜も。あなたが示談係の久保田さんを殺害したあの夜ですよ。神田さんとお話ししました。あなたのことも訊きました」

右京は思わせぶりなせりふをそこで止めた。右京がなにを言わんとしているのか、真理子はその主旨を、起き抜けの頭で必死に探っているようだった。目が充血している。

「……そう」

「はい」

「やっぱりね……」

「やっぱり？」と、薫。

「あの男は、また、あたしを裏切ったわね」魂の抜けたような声で真理子が話しはじめた。「そうよ。あの夜、あの男がここに来て、あたしが示談係を殺した現場を目撃したの。『一緒に警察に行こう』とか『きみに詫びたいから』とか勝手なことを言っていたわ。本当に詫びる気持ちがあるなら、証拠を見せてほしかった」

「それで、神田氏が罪を被ったわけですね？」

「あんた、あたしの代わりに警察に行ける？」

唐突に真理子が気持ちを込めて言った。

「そう迫ったの、あたし。もちろん、あたしと篤志を捨てて逃げたような男にそんなまねができるはずないと思ったわ。そしたら、あの男、思い詰めた顔をして、『今度こそ、逃げない』って……そのあと、死体と凶器の破片を運んだわ、彼と」

「そして、神田さんは自首を？」

薫が確認すると、真理子は素直にうなずいた。

「でも、信じられなかった。また裏切られるんじゃないかって、そう思ったわ」

騙して自白を引き出したため、薫は胸が痛んでいた。自分に向けるべき責めを転嫁するかのように、真理子に質問した。

「どうしてそんなふうに思うんですか？」

「どうして？　だって、二十四年間、ずっと憎しみで生きてきたのよ。案の定、裏切ったじゃない！」

「違う！」

「違わないわ。あの男は昔からなにも変わっていない！」

正直者の薫にはここまでで精いっぱいだった。

「彼は最後まで……あなたなんか知らないって」

真理子の目が泳いだ。その目を右京に向ける。

「だって、さっき、あなた……」

右京は苦行僧のような表情になっていた。

「ぼくは『あなたのことを彼に訊いた』と言っただけです」

謀られたと気づき、真理子が口を半開きにしたまま固まった。薫が懸命に言い募る。

「彼はあなたのために、いまこの瞬間も殺人犯になろうとしています。二十四年間築き上げた地位も名誉も捨てて」

「辻さん」右京が向き直る。「あなたがなぜ示談係の彼を殺害しなければならなかったのか……その動機はこれですね」

薫がフライトジャケットのポケットから、二枚の紙片を引っ張り出した。保険会社から借りてきた示談書だった。

「こちらは亡くなった神田陽一郎さんの示談書、そしてもう一枚が亡くなったあなたの息子さんのものです。陽一郎さんは約三億、あなたの息子さんは約三千万」

「どうしてこんなに違うのよ?」真理子は憎悪のこもった目で、示談書を凝視した。

「なんで、こんなに違うのよ? どうしてうちの子だけ……」

「それであの夜、示談係の久保田さんをここに呼び出したのですね?」

「なるべく善処するとか、故人の遺失利益がどうだとか、賠償額の計算方法は法律で決まってるとか、さんざん御託を並べてたわ。あたしは、ただ上谷の子と同じにしてほしかっただけなのに。あたしがつかみかかっていったら、あいつ、こう言ったのよ。『あんた、死んだ子使って、そんなに金が欲しいのか』って。気づいたら、ウイスキーのボトルで……」

「殴り殺してしまった」

「お金が欲しかったんじゃない。ただ、自分の子どもの命の値段を勝手につけられて、それも上谷の子の十分の一だなんて……」真理子がカウンターの写真立てを手に取った。そして、息子を愛おしげに見つめた。「同じ男の子どもなのに、どうして死んでまで、差をつけられなきゃいけないの?」

薫には返すことばがなかった。しかし右京は、どんな場であろうとも、言うべきことはきちんと言う人間だった。

「それは人を殺害する理由にはなりません。しかもあなたは、神田さんに罪を着せるために、二十四年間の憎しみを利用したんですよ。辻真理子さん、そのときあなたは本当に篤志くんの命を利用したんですよ」

思いもかけない指摘を受けて、真理子は息子の写真を胸に抱えたまま、泣き崩れてしまった。

右京は決して逃げない人間だった。拘置所で三度《みたび》、神田喜一の面会を求めたのは、重要な報告をするためだった。

「辻真理子さんが先ほど自首しました」

右京がそう告げるや否や、神田の形相が一変した。温厚な紳士のような仮面をかなぐり捨て、野獣のような咆哮を上げた。

「あなたは間もなく、ここを出ることになり……」

淡々と事実を述べる右京の声は、「なぜだ！」という叫び声に遮られた。神田が叫びながら、右京に襲いかかった。しかし、それは成就しなかった。ガラスの仕切りに阻まれ、派手な衝突音を立てただけだった。ぶつかった神田は両手をガラスに圧しつけた。そのまま離そうとしない。それがまるで、水族館の水槽に張り付くヒトデのように見えた。

「なぜ、このままにさせてくれなかったんだ！」

神田の声は裏返っていた。ほとばしる怒りを制御できていない証拠だった。右京のほうは感情を冷静に制御して、答えた。

「あなたが自首をした本当の理由がわかったからです。あなたは、彼女と亡くなった篤志くんのために、罪を被ろうとした」

すべてが見抜かれていると知り、神田は憑き物が落ちたように静かになった。椅子に座り直して、自供をはじめた。

「あの夜、真理子の店に行って、死体を前になじられたとき、蘇ったんです。二十四年前に言われた彼女のことばが。あのとき、私は彼女から逃げてしまった。罰だと思いました。私が篤志くんを認知せず、だから陽一郎も亡くし……きっと、すべて罰なんだと」

神田が顔を上げ、力のない目を右京と薫へ交互に向けた。そして、さっきと同じせりふを繰り返した。

「なぜ、このままにさせてくれなかったんですか？」

これに返すことばは、さすがの右京も持ち合わせていなかった。

運命は時としてとても皮肉なものである。釈放された神田喜一を連れて、右京と薫が警視庁の廊下を歩いているときにも、運命がいたずら心を発揮した。前方から、辻真理子を連行した伊丹と三浦が歩いてきたのだ。いちはやくそれに気づいた右京が立ち止まり、なにごとかと目を前に向けた神田と薫もすぐにその理由を知った。神田の目はそのまま、元恋人のうちひしがれた姿に釘付けになってしまった。

捜査一課の刑事と真犯人が近づいてくる。伊丹は不愉快そうな顔で薫をにらんだが、口はつぐんだまま通り過ぎていった。その後ろから真理子がうつむいて歩いてきた。ほんのつかの間、面《おもて》を上げ、上目で神田に一瞥をくれた。

すれ違う瞬間、ふたりの視線が結ばれ、それを伝って感情のやりとりが行なわれたように、薫には思えた。そして、その視線の糸はすぐにまたほどけた。真理子は再びうつむいて、後方へ去っていった。

神田が声を殺して気持ちを吐き出した。

「結局また、私は彼女に対してなんの責任も果たせませんでした。あのときと同じように、彼女も自分の息子も、私はまた捨ててしまった。父親としてなにもできなかった」小さくかぶりを振る。「いや、父親にさえなれなかった……」

いまの薫には、神田グループの会長その人が、連行されていったスナックのママよりもずっとしおれて見えた。

「そうでしょうか」右京が言った。「ぼくは思います。あなたが自首しようと思ったとき、あなたはやっと辻篤志くんの父親になったのではないか、と。たとえそれが一瞬であっても」

「私があの子の父親に……？」

神田が救いを求める目で右京を見つめた。

「もしかしたら、父親になるのに、遅すぎるということはないのかもしれません」

そのことばを聞いて、神田の頬を透明な液体がひと筋流れ落ちた。

第八話
「少年と金貨」

一

杉下右京はめったなことでは無駄口は叩かない。

しかし、ごくごくまれに右京も暇に任せておしゃべりに興じることがあった。そんなとき、相手は鑑識課の米沢守の場合が多かった。坊ちゃん刈りで黒縁眼鏡のこの優秀な鑑識員と、オールバックの髪型にメタルフレームの眼鏡が似合う変わり者の警部は、なぜか趣味や興味の方向性が似ていた。

この夜も、仕事が終わった右京は鑑識課にぶらっと顔を出し、米沢の仕事を好奇心たっぷりに眺めたあと、おもむろに一枚のチケットを取り出したところだった。ふたりの共通の趣味である落語のチケットを、米沢に渡すのがもともとの目的であった。まさにその目的を果たしたところで、館内放送のアナウンスが聞こえてきた。

――至急至急、警視庁より鑑識係。第五方面、渋谷区管内八幡署より出動要請。松濤《しょうとう》町三丁目一番十五号、倉野邸にて、変死体発見。被害者は倉野善次郎氏本人と断定。被疑者《マルヒ》は逃走中のもよう。迅速な捜査を願いたい。

「松濤の倉野さんといえば、有名なコインコレクターです」

米沢は記憶を探ってそう言うと、要請に応じて出動していった。

亀山薫は無駄口を叩くのが好きだった。

知らない人とでもすぐに打ち解けて、親しくなれる才能の持ち主である。困っている人を見ると放ってはおけない性質《たち》でもある。ありがた迷惑ということばの意味を深く考えたことのない薫は、困った人を見つけると半ば強引に手助けしてしまうのだった。

この夜も、仕事終わりでマンションに帰る途中、一台の自動販売機の前で困っている人を見かけた薫は、相手が遠慮するにもかかわらず、助太刀を買って出た。困っていたのは五、六歳くらいの男の子を連れた父親だった。なんでも男の子がジュースを買おうとして、過って硬貨を落としてしまったらしい。硬貨は転がり、自販機の下に入ってしまったようだ。

さんざん頑張ったが、腕は届かなかった。シャッターを下ろした商店の前に立てかけられたほうきに目を留めた薫は、その柄を使って、自販機の下の隙間を大きく払った。チャリンと金属的な音がして、コインが転がり出てきた。そのコインを見て薫は我が目を疑った。

百円玉でも五百円玉でもなく、見たことのない金貨だったのである。父親は手を伸ばして金貨をつかむと、そのまま駆け出した。お人好しの刑事の頭にもさすがに疑念が湧き、薫は立ち上がってあとを追いかけた。

走力は薫のほうが数段上だった。すぐに父親を捕まえると、近くの富ケ谷交番に連行した。

男は小田島和也という名前だった。薄汚れたジャンパーに無精ひげ、外見だけで人を判断してはいけないことは重々承知しているが、金貨には似つかわしくない風体である。事情を訊く薫に対して、金貨は自分のコレクションだ、と小田島は主張した。

「じゃあ、なんで逃げたの?」薫が矢継ぎ早に質問を浴びせた。机の上に置いた金貨を指差し、「これ、高いものなんだろ? なんでこんなものが自販機の下に?」

「あの……テーブルの上に出しっぱなしにしたまま、電話に夢中になっている間に、息子が、あの、ジュース買うのに持ち出したらしくて……」

小田島のびくびくした態度は、この証言の信憑性を著しく低くしていた。薫はそれを確認するために、交番の隅っこにあるパイプ椅子に座っていた息子の雅彦に話しかけた。もの静かな少年だった。父親が取り調べられているようすをテレビ画面の中のできごとでもあるかのように、距離を置いて見つめている。

「ジュース買おうとして落っことしたの?」

少年は少しためらったあと、こくんとうなずいた。

薫は金貨を携帯電話内蔵のカメラで撮影すると、画像をメールに添付して右京に送った。すると、変わり者の上司から、すぐに電話が入った。交番の外に出て通話ボタンを押すと、右京の声が聞こえてきた。

――これは明治時代に作られた旧二十円金貨です。

「日本にも金貨があったんですね。初めて見ました。高いもんなんですか？」

――ぼくもあまり詳しくは知りませんが、確かこの年に製造された金貨はとても高かったはずです。市場では一枚二千万円くらいで取り引きされているのではないか、と。

「えっ、に、二千万円っ⁉」

――きみはいまどこですか？

「富ケ谷の交番ですけど」

――近くのコインコレクターの家で変死体が出たそうです。

「まさか、強盗殺人ですか？」

――その金貨を持っていた人を足留めしてください。容疑者の可能性もあります。

「わかりました！」

薫はすぐに交番に飛び込んだが、そこはもぬけの空だった。机の上の金貨もなくなっている。薫がきょろきょろしていると、奥から少年を連れた巡査が出てきた。

「ちょ、ちょっと、ここにいた父親は？」

巡査が首をかしげる。

「さあ、自分はこの子をおしっこに……」

どうやら小田島和也は一瞬の隙をついて逃げ出したようだった。遅まきながらそれに気づいた薫は、思い切り歯嚙みした。

息子に自宅の住所を聞き、巡査とともに踏み込んだ。座卓の上に古い紙幣や大判、小判が出しっぱなしで放置されていた。しかし、小田島の姿はなかった。

薫は小田島が強盗殺人の犯人だと確信したが、すでに手遅れだった。

二

失態を演じた薫は、すぐに隣町の倉野邸へ駆けつけた。捜査一課の刑事や鑑識課の捜査員に混じって、右京の姿がある。倉野善次郎は腹部を刃物でひと突きされ、絶命していた。

薫を見つけ、伊丹憲一が近づいてくる。

「バカじゃないのか、おまえ。目の前にいた容疑者、みすみす取り逃がしやがって」

「さすがに特命係の亀山さんだよ」

伊丹の同僚の三浦も皮肉を浴びせた。薫は返すことばもなく、右京について鑑識の米沢が調べているショーケースのほうへ移動した。ショーケースは乱暴に叩き割られていた。中のものはほとんど持ち去られているようだったが、錆びたかみそりのようなものだけは残されていた。薫にはそれがなんだか見当もつかなかった。

「なんですか、これ？」

「刀幣《とうへい》というお金です」

右京の答えを、米沢が補足した。

「中国の戦国時代に作られたものだったと記憶しています」

金貨の値段に驚かされたばかりの薫は、値段が気になってしかたなかった。

「そんなに古いものだったら、高いんでしょうね？」

「さあ、私はコイン商ではないので、そこまではわかりません」

「犯人はなぜ、これだけ残していったのでしょう？」

右京の疑問に薫が答える。自分だったら……。

「お金じゃないと思って、捨てていったんじゃないですか」

「ずいぶん無造作にガラスを叩き割ってますねえ」

ためつすがめつショーケースを観察していた米沢が指摘した。これにも薫が答えた。

自分だったら……。

「中の物を持って行こうとしたら、ふつう、こうするんじゃないですか？」

「中身が高価なコインだったとしてもですか？　ガラスの破片でコインが傷つく恐れがあるのに」

「傷や汚れはコインの価値を著しく下げますよ」

右京と米沢に言い返され、薫はふてくされた。

「要するに、小田島がコインに無知だったんじゃないですか？」

「その人の家に行ってみましょう」

右京の提案により、薫は再び小田島のアパートに戻るはめになった。アパートには富ケ谷交番の巡査を立ち番で残していたが、すでにこちらにも捜査陣が姿を現わしていた。小田島和也の息子、雅彦は巡査の隣につまらなそうに立っていた。事態がどこまで理解できているのか、少なくともいまのところ不安そうではない。

一課の刑事が「こいつが犯人に間違いない」「小田島を緊急手配だ」などと話しているところへ、アパートの大家が顔を出した。大家は薫に向かって不満をぶつけた。小田島和也は会社をリストラされた上に、妻にも逃げられてしまったのだという。家賃や管理費も何カ月分か滞納しているらしかった。小田島のうらぶれたようすの恰好を見ていた薫には納得のいく話である。

右京が部屋の中からエアコンの納品書の綴りを見つけ、大家に訊いた。

「小田島さんはエアコンの取り付けの仕事をされていたようですね？」

「バイトだよ。ときたまやってたみたいよ」

納品書をめくっていた右京は、その中に倉野善次郎という名前があるのを発見した。小田島と倉野がつながった。

「そのときにコレクションを見て、犯行を思い立ったんですかね」

薫が極めて常識的な推理を口にしていると、雅彦少年が首から下げていた携帯電話が鳴った。「ちょっと貸してね」薫は少年から電話を取り上げると、電話に出た。

「もしもし」

——さっきの刑事さんですか?

「そうだ。亀山だ。あんた、いまどこにいるんだ。倉野さんを殺したんだな?」

——私は、殺しなんかやってません!

「あんたの部屋から、盗まれた古銭が見つかったぞ」

——確かに古銭は盗みました。でも、殺してなんかいません。

「金貨はどうした。そんなもの持っててもむだだぞ。金に換えようとしたら、足がつくんだからな」

薫がそう言ったところで、電話が切られてしまった。性急すぎたかなと反省していると、上司が追い討ちをかけた。

「金貨を使ってもらったほうが、足取りを追えたんじゃありませんか?」

奥寺美和子はマンションに帰って、驚いた。居間のソファで男の子が寝息を立てて眠っていたからである。

「なに？　いったいどうしたの？」

ソファの前で子どもの寝顔に見入っていた薫に訊く。薫が声をひそめて答えた。

「いや、容疑者が子どもを置いて逃げちゃったの。それで、その容疑者であるお父さんから、いつ電話がかかってくるかわかんないから、見張ってなきゃいけなくって、俺が預かってきたの」

「バカじゃないの」美和子の反応はすげなかった。「だって、ふつう預かるか？」

「しょうがねえだろう。成り行きでそうなったんだからさ」

美和子は少年の傍らに移動し、寝顔を至近距離からのぞき込んだ。

「ふーん、でも、ちょっとかわいいね」

そう言いながら、少年のほっぺたを指先でつつく。

「おいおい、起こすなよ。やっと寝たんだから」

「こんなところで寝かしたら、風邪引いちゃうでしょ？」

美和子は寝室に行き、子どものために布団を敷いた。その間中、「人さまの子ども預かってきてなんかあったらどうするの」「子どもの面倒みるなんて簡単なことじゃないんだよ」と口では文句を言っていたが、目は笑っていた。

三

翌日、薫は雅彦少年を連れて、父親の和也が以前働いていた建築会社を訪ねた。そこでかつての同僚から、和也が辞めた原因を聞いた。大家が言っていたリストラというのはデマだということが判明した。リストラ候補だったのは和也ではなく、職場の後輩だった。ところが後輩には子どもが三人いた。それを見かねた和也が、自分のほうがまだ身軽だからという理由で退職した。どうやら、これが真相らしい。

「この不景気な時代にだぜ。そのおかげで女房に逃げられてさ、あいつちょっと頭おかしいよ」

同僚はそう言って下卑た笑いを漏らした。幸い少年は離れた場所でひとり遊びをしており、この話を聞いていなかったので、薫はほっとした。

その頃、右京は貨幣博物館にいた。その名のとおり、古今東西の貨幣が展示された博物館だった。右京が館長に面会を求めると、しばらくしてひとりの女性が現われた。それが館長の松金彰子だった。年の頃は四十半ば。シックなたたずまいの女性である。抑制の効いた口調から穏やかな人柄が感じられた。右京は女館長と名刺交換をすると、用件に入った。

「殺された倉野さんとは以前からのお知り合いですか？」

「はい。近々、国立博物館で世界コイン・コンベンションがあるので、倉野さんにも稀少なコインの出品をお願いしておりました。でも、こんなことになって、本当に困っております」

彰子が残念そうな顔になった。右京はうなずいて、一枚の写真を取り出した。現場のショーケースの中の拡大写真である。

「ところで、これについて教えていただきたいんですが」

写真を手渡すと、彰子がよどみなく答える。

「刀幣ですね。刀幣は刀銭とも言い、中国戦国時代の青銅貨幣のひとつです。その源は農具の鎌、または小刀《しょうとう》と言われております」

「そんなに古いものなら、さぞかし高いんでしょうね？」

「いいえ」彰子が目尻にしわを寄せた。「市場ではせいぜい一、二万で取り引きされてるんじゃないでしょうか」

「それはずいぶん安いですね」

「金や銀とは違い、素材は十円玉と同じ銅ですから」

意外な事実を知った右京は、旧二十円金貨についても質問した。彰子は実物が展示されているショーケースまで右京を案内し、丁寧に説明してくれた。盗まれた明治十年製造の金貨だけは、わずかに二十九枚しか作られなかったという。そのため、市場での取引額は二千万円以上になっているらしい。目の前の金貨が急に輝きを増したような気がした。

「率直にうかがいます」右京が館長に質問した。「倉野さん所有の金貨の出どころはどこでしょう?」

「さあ、古銭商か、あるいは裏のルート。盗難にあったコインが裏取引されるケースはままあります」

子どもの手は、温かくて少し湿っていて、とにかく小さい。薫はそんなことを考えながら街を歩いていた。雅彦少年の手を引いて、母親の居場所を捜していたのである。しかし、せっかく探り当てた母親の知り合いだったという女性からは、現在の消息についてはわからない、というつれない返事をもらった。水商売をやっていた雅彦の母親は、男と一緒に逃げたとわかっただけだった。もの寂しげな目で薫を見上げる少年が、とてもあわれに思えてきた。

聞き込みがほとんど徒労に終わり、薫が警視庁に戻ってくると、すでに右京が戻っていた。連れ回されて疲れきった雅彦少年は、すぐに薫の椅子の上で身体を丸めて寝てしまった。薫はそんな少年に目をやりながら言った。

「いろいろ話を聞いたんですけど、これといって収穫はありません。でも、話を聞けば聞くほど、小田島が殺人なんかできるような男じゃない気がして……」

「亀山くんもですか」

「え、右京さんも？」

「ええ。でもきみとは違う理由からです」

「と言うと？」

「刀幣です。犯人は刀幣を残していきました」

「それはお金じゃないと思って、捨てていったんじゃないですか？」

「きみならそうしますか？　犯人は倉野氏を脅し、金庫を開けさせたんですよ。そのうえでナイフで殺害しています」

上司から問われて薫は考えた。自分だったら……。

「金庫の中にあるものは、とりあえず金目のものと考えて、全部持ち出すかもしれません。ショーケースも同じです。割った以上、全部持っていく」

「ぼくもそう思います。だとしたら、犯人はなぜ、刀幣だけを残していったのでしょう？　選別したんですよ。刀幣には市場的な価値はない。だから、犯人は刀幣を捨てていった」

右京の言わんとしていることに、薫も気づいた。

「それじゃあ、古銭に詳しい人物が犯人？」

特命係のふたりの刑事は、子連れで田淵商会という古銭商に事情を聞きに行った。倉野善次郎の取引記録を調べたところ、この古銭商から総額三億円にも及ぶコインを買っていることが判明したのである。しかしながら、その中に旧二十円金貨の取引記録は見当たらなかった。この辺の事情を直接問い質そうと考えたのだ。

田淵商会の経営者、田淵俊夫は裏社会とのパイプを持っていそうな、一見して胡散臭い男だった。刑事たちの質問にひるむようすもなく、嘲るような口調で答える。

「旧二十円金貨ですって？　うちではそんな大物扱いませんよ」

「殺された倉野さんは、こちらのお得意さまでしたね？」

「ええ、そうですが、何千万もする金貨なんか、めったに市場に出回るもんじゃない。とてもとてもうちでは扱えませんよ」

田淵はそう言って、揉み手でもするように、右手の甲を左手で覆った。少年がコインに見とれているのを横目で確認し、薫が追及する。

「昨日の午後四時半頃、どこでなにをされてました？」

「アリバイですか」田淵はふんと鼻を鳴らし、「私が疑われなきゃならない根拠がどこにあるんですか？」

「みなさんにお訊きしてます」薫は定番のせりふを吐いて、「その時間、どこでなにを？」

「店におりましたよ。もっとも、それを証明する人はおりませんが」田淵は椅子に腰掛けると、なにやら漢字のラベルのついたビンから錠剤を口に含み、気を落ち着けるように水で飲み下した。「営業妨害です。帰ってもらえませんかね」

「もうひとつだけ、いいですか？」

右京が丁寧な口調で頼むと、田淵はノーとは言わなかった。右京はイエスと解釈した。

「最近、市場に出どころのはっきりしない古銭が流通しているという話、聞いたことはありませんか？」

「盗難品かな……はて、聞いた覚えはないな」

「怪しいですね、あのオヤジ」

田淵商会から出た薫は、込み入った裏路地を少年の手を引いて歩きながら、自分の考えを述べた。

「古銭が盗難品だと気づいた倉野さんが田淵を責め、逆に殺された。そのあと、お……」薫は急にことばを止め、少年の耳を両手でふさぐ。「小田島が盗みに入った。あり得ませんかね？」

「倉野さんのコレクションのうち、どれが盗難品か調べる必要がありますね」

右京が言うと、薫は即座に同意した。

「やりましょう！　あ、でも金貨だけは、お」今度は耳をふさがずに、「小田島が……」

「調べる方法はあります。本物の金貨は二十九個しかないんですから」

まずはその二十九個の所有者を知る必要があった。貨幣商協会の鑑定委員会に出向いて尋ねると、金貨に関して有力な情報が得られた。二十九個のうち、盗難や災害、あるいは海外流失などで行方がわからなくなったものを除き、鑑定書付きのものは十四個現存しているというのだ。その十四個については所有者リストを提供してもらうことができた。

警視庁に戻った右京と薫は、リストにしたがって、電話で金貨の所在を確認した。その結果、十四個すべてについて、盗難などの被害には遭っていない事実が判明した。例の金貨は鑑定書のない、非公式に誰かが隠し持っていたものである可能性が高まった。だが、そこで行き詰まってしまった。

思うように捜査が進まず、特命係の小部屋を沈滞した空気が支配した。雅彦少年はそんな部屋の隅っこで、目をきょろきょろさせながら、ふたりの刑事を交互に見ていた。

いまだ、父親から連絡がない。不憫な子だ、と薫の憂いが深まる。

そこへ、ビニール袋に入れた証拠品の紙幣を持った米沢がいそいそとやってきた。

「この紙幣、倉野氏のコレクションの中にありました。ただし、これは偽物です」

「偽物？」薫が間の抜けた声で応じた。

「はい。精巧にできていますが、鑑定してもらった結果、偽物だとわかりました。倉野氏はこれを田淵商会から二百五十万円で買っています」

かつて捜査二課に所属していた右京には、いまも同課に西肇という知り合いの後輩がいた。新人時代に右京が面倒をみてやったことがあり、西はいまでもこの変わり者の先輩に頭が上がらなかった。

右京が久しぶりに二課に顔を出すと、西は自分のデスクでなにやら調べ物をしている最中だった。

「西さん」

背後から右京がそっと近づき、名前を呼ぶと、西肇は大げさに驚いて、起立した。

「あ、ど、どうも」

「実は、ちょっと調べてほしいことがあるんです」

「えっ、杉下警部、直々にですか？　怖いなあ……大掛かりな経済詐欺事件かなにか?」

「いえ、そんな大それたものではありません」右京は西の耳元に顔を寄せ、「古銭商の田淵という男の情報が欲しいんです」

西が顔を曇らせて、小声で言う。

「警部に肩入れすると出世できなくなるっていうジンクスがあるんですよ」

「それは本当です」右京はうなずき、鋭い視線を後輩に向けた。「気になりますか?」

「あ、いえ、どうせ出世できそうにありませんから」

西は頭をかきながら、あきらめたような声で答えた。

その夜は〈花の里〉の女将、宮部たまきが雅彦少年のために、特製のちらし寿司を振る舞った。おいしそうに一心に口に運ぶ少年の姿を見て、たまきの目尻が下がった。

「いっぱい食えよ」

薫が目を細めて少年の食べっぷりを見ていると、雅彦の携帯電話が鳴った。ディスプレイに「おとうさん」という表示が出ているのを確認し、薫がその電話を取る。

「小田島か。昨夜会った亀山だ」

——雅彦、大丈夫ですか?

「あんたねえ、父親のくせに子ども放ったらかして、逃げ回ってる場合じゃないだろ!」

——その子……刑事さんにあげます。

「なに?」

——雅彦は私の本当の子どもじゃないんです。逃げた女房の連れ子なんで、もう要りません。

「要りません? 犬や猫の子じゃないんだぞ」

薫の受け答えで会話の内容を察した雅彦がぽつんと言った。

「ぼくだって、ここのほうがいいよ……」

薫は少年を手で制し、電話に集中する。

「とにかく、すぐに出て来い。いまどこだ?」

——捕まったら、私が殺したことにされてしまう。刑事さん、雅彦をお願いします。

「ちょ、ちょっと、待てよ」

いまにも電話を切りそうな小田島に待ったをかけていると、「代わってください」と右京が手を伸ばした。慌てて携帯電話を渡す。

「小田島さんですか」右京が冷静な声で語りかけた。「同僚の刑事の杉下と言います。ちょっと、お訊きしたいことが」

——なんですか。

「あなたが盗みに入ったとき、例の金貨はどこにありましたか？　金庫の中か、ショーケースの中か、それとも他の場所か？」

——リビングのテーブルの上に袱紗《ふくさ》があって、その上に。

「金庫から持ち出したわけではないんですね？」

——ええ。あ、話を長引かせようとしてもむだです。

そう言って、小田島は通話を一方的に終了した。薫が振り返ると、雅彦はしょんぼりとうつむいていた。いまにも泣き出しそうだった。

四

翌朝、特命係のふたりが部屋で調べ物をしていると、「暇か？」と言いながら角田《かくた》六郎が入ってきた。そして、きょろきょろと室内を見渡すと、「昨日のガキんちょは？」と訊く。薫が答える。

「ちょっと熱っぽかったんで、医務室で寝かせてます」

「あらら、せっかくプレゼントを持ってきたのに」

角田はニットのベストの下に忍ばせていたお菓子の詰め合わせ袋をゆっくり取り出した。

「しょうがねえな、食っちゃうか」

いつもどおりのマイペースを崩さず、デスクの上にお菓子をばらまく。色とりどりのキャンディーやチョコレートやクッキーの包み紙で、グレーの事務机が一瞬華やかになった。右京の前にメダルチョコが転がった。メダルの表面を象《かたど》った円形のチョコを金紙で包み、もようを浮き上がらせた菓子である。右京はそれを取り上げると、自分に言い聞かせるように独白した。

「金貨はリビングのテーブルの上に置かれていた……大変高価なものが出しっぱなしになっていた……おかしい。おかしいと思いませんか？」

突然問いかけられて、薫が面食らっていると、キャンディーをなめていた角田が気軽に口をはさんだ。

「金貨をはさんで誰かと商談してた、とか」

「そうなんです！」右京が唐突に立ち上がる。「今回の殺人はあの金貨を巡って起きた」

「じゃあ、やっぱり田淵が？」

ようやく上司の思考に追いついた薫が発言したところに、おずおずと若い刑事が入ってきた。

「杉下警部？」

角田が新参者に声をかける。

「二課の西じゃねえか。なにやってんだ?」

「いや、その、ちょっと」

「ははあ、警部殿になにか頼まれたな? へへっ、特命係に出入りしていると、出世できないよ」

「角田さんだって、出入りしてるじゃないですか」

「いや、俺は端っから出世なんかあきらめてるから。へへっ」

西の反撃を角田は余裕でかわした。右京が戯言《ざれごと》に終止符を打つ。

「そんなことより、なにか出ましたか、田淵商会?」

「ええ」西が勢い込んでうなずいた。「すごい事実がわかりましたよ。田淵俊夫はいまは名前を変えていますが、かつて裏のマーケットを仕切っていた宇崎という男で、偽コインを商っていたんです」

これで真犯人《ホンボシ》は明らかになった、と薫は思った。右京に確認すると、小田島和也が犯人でないのは間違いないという答えが返ってきた。至急、小田島の指名手配を止めねばならない。薫は一課の後輩、芹沢慶二に情報をこっそり流し、手を打った。

右京はあることを確認するために、もう一度、貨幣博物館の松金彰子に会いに行った。女館長は博物館にはおらず、館員の話だと休憩時間を近くの公園で過ごしているはず、という話だった。

公園に近づくと、バイオリンを奏でる音が聞こえてきた。サラサーテ作曲の『ツィゴイネルワイゼン』をまだ若い青年がなかなか巧みに演奏している。彰子はその青年の前のベンチに座り、演奏に聴き入っていた。右京が近づくと、彰子の膝の上に海外の音楽学校のパンフレットが載っているのがわかった。瞬時に状況を理解した右京がそっと話しかける。

「練習中にお邪魔してすみません」

彰子がびっくりして振り返り、「あ、刑事さん」と言った。

「息子さん、留学されるんですか?」

「はい」彰子が誇らしげにパンフレットを取り上げた。「来月、ウィーンの音楽院に」

「すばらしい演奏ですね」

クラシック音楽に素養のある右京が本気で褒めると、彰子は嫣然《えんぜん》と微笑んだ。

「そうでしょう。あの子は特別なんです。あの子の才能を伸ばしてあげるのが、わたしの義務です」

母親の自慢話に相槌を打ち、右京が本題に入った。以前薫から送られてきた携帯メールの添付画像を見せながら、

「倉野さん所有の旧二十円金貨ですが、偽物だった可能性があります。田淵商会が売り

つけたようです」

「これが偽物？」

「しかし、実物が手元にないので、確かめる術がありません。本物をご覧になったことはありませんか？」

「いいえ。倉野さんがそれをお持ちだったとさえ知りませんでした」

「そうですか。最近、倉野さんのお屋敷を訪ねたことは？」

「いえ、ここ二、三カ月は」それまでずっと息子のほうへ身体を向けていた彰子が、ようやく右京へ顔をやった。「お力になれずに申し訳ございません」

「こちらこそ、突然押しかけて、失礼しました」踵を返そうとした右京がその動作を途中で中断した。「あ、もうひとつだけお願いがあります。この金貨を持って逃走中の容疑者が接触してくるかもしれません。貨幣商協会には手を打ちましたが、万が一博物館関係に売りつけてくる可能性も……」

「そのときは、そちらにご連絡すればよろしいんですね？」

彰子が笑顔で了解した。

右京が戻ってきたとき、薫は医務室で雅彦少年の手を握っていた。少年はベッドに横になっていた。急に熱が上がり、朝よりも具合が悪くなってしまったのだ。熱にうなされているのか、ときどき「父ちゃん」とうわ言を発する。薫はそれがかわいそうでならなかった。右京も心配そうに、少年の顔をのぞき込んだ。

　そのときである。まるで少年の思いが届いたように、携帯電話の着信音が鳴った。父親からだった。

「なにやってんだ、バカ野郎！」

　薫はいまの気持ちをぶつけたが、受話口から帰ってきたのは冷めた反応だった。

――どうかしたんですか？

「雅彦が熱出して、下がんないんだよ！　昨日、俺が連れ回したのも悪いんだけどさ」

――私にはもう関係のないことです。

「なに言ってんだ。いいか、小田島、雅彦は熱にうなされて、ずっとおまえを呼んでるんだよ。こんないい子がいるのに、いつまで逃げ回ってるつもりだ！」

――雅彦は私の本当の子じゃないんです。

「だから、なんなんだよ！　本当の子じゃなくても、あんたのたったひとりの家族だろうが！」

　小田島が黙り込んだ。説得が効いて、悩んでいるのだろうか。「聞いているのか、小田島？」呼びかけても返事がない。薫が舌打ちすると、右京が「代わってください」と言って、少年の携帯電話を奪った。そして、電話口でなにごとかを頼んだ。数分後、小田島が同意した。

——わかりました。やってみます。

五

翌朝、小田島和也は芝公園のベンチに座って、雑誌を読んでいた。堅気の会社員は出社する時間だというのに、小田島の両隣のベンチでも、同じくらいの年恰好の男が同じようにして暇をつぶしている。

しばらくすると、アスファルトを叩く靴音が聞こえてきた。ひとりの人物がやってきた。その人物は左右をうかがったあと、小田島の隣に腰を下ろした。そして、おもむろに言った。

「金貨は持ってきた?」

小田島の背後の植え込みに隠れていた薫の耳にはっきりとそう聞こえた。薫は右京に目くばせすると、植え込みから跳び出した。

「金貨は持ってきた?」

小田島の隣に座っていた松金彰子は、突如現われた刑事を認め、一瞬あっけにとられたような顔になったが、すぐに態勢を立て直した。すっとベンチから立ち上がると、小田島を指差した。

「刑事さん、この男が殺人犯です！　早く捕まえてください！」

右京が彰子に詰め寄って、冷酷に宣告した。

「殺人犯はあなたですよ」

「なんですって？」

「あなたはなぜ、ここへ来たのですか？」

「だって、昨夜、小田島と名乗る人から電話があって、金貨を買い取らないかって持ちかけられたから。もちろん、すぐに刑事さんに連絡しようと思ったの。でも、まずは本当に金貨を持っているかどうか確かめたほうがいいだろうと……」

「なるほど。ではなぜ、この人が逃走中の容疑者、小田島和也だとわかったのですか？」

「新聞の顔写真で……」

彰子の語尾が震えた。

「おかしいですねえ。小田島さんはまだ指名手配になっていません。つまり、顔写真は公開されていないんです」

「われわれが止めました」と、薫。「あなたはベンチにいる三人の男たちの中から、迷わず小田島を選んだ。なぜ、彼がわかったんですか？」

「雑誌を持っているって、昨夜の電話で……」

次の瞬間、彰子は完全に罠にはまったことを知った。両隣のベンチに座っていた男たちが、これ見よがしに雑誌をかざして、こちらへ近づいてきたからだ。

変装した角田の部下の大木刑事と小松刑事が合流するのを待って、薫が彰子を追及した。

「それは、あなたが殺人現場で小田島を目撃していたからですよ。あなたが小田島を目撃できた唯一のチャンスは殺人現場だけですからね」

告発を受け、彰子は放心したようにふらふらと前方へ歩き出した。大木と小松がその前に立ちはだかる。

「松金さん！」

右京が鋭い口調で名前を呼ぶと、殺人犯は夢から覚めたように正気に返り、がっくりとうなだれた。

警視庁に連行する車の中で右京が推理を語った。

「あなたは息子さんの留学費用が必要だった。だから、展示品に手を出したんですね。数多く発見されている別の年代の旧二十円金貨を細工し、博物館の本物とすり替えた。そして、本物を倉野氏に渡し、留学費用を工面した。しかし、世界コイン・コンベンションが迫り、偽物を展示しておくわけにはいかなくなってしまった」

彰子が遠い目をしてぽつりぽつり語る。

「期間中だけでも金貨を返してほしいって頼みました。でも、倉野さんは、金を返すまでは絶対に戻さない、の一点張り。金がないのなら、展示品の天正大判金を持ってこい、とも。そのうえ、わたしがやった不正を息子にばらすとまで言われて、頭に血が上りました。わたしは近くに置いてあったナイフをとっさにつかむと、倉野さんを脅して金庫を開けさせました。殺したのは発作的な行動です。突然倉野さんが反撃してきたので、思わず……」

「それであなたは金貨を盗んだ。なのに、どうして置き忘れたのですか？」

「不安になったんです。金貨や古銭を袱紗に包んで逃げようとリビングまで行ったとき、倉野さんが本当に死んだのかどうか気になって……それで、金庫のある部屋まで戻りました」

右京が納得した顔になる。

「そのときにたまたま小田島さんが盗みに入ったのですね。彼はリビングに無造作に置かれていた金貨や古銭を袱紗ごと盗んだ。彼が出て行ったあと、ショーケースを壊したのはあなたですね？」

「せっかく手に入れた金貨を奪われ途方に暮れてしまいました。でも、倉野さんは強盗が殺したように見せかけなければなりません。それで、ゴルフのクラブでショーケースを叩き割りました」

「そして、高価な貨幣を盗み出したんですね。しかし、無意識のうちに価値のあるものとそうでないものを選りわけてしまった。だから、刀幣だけが現場に残された。盗んだ貨幣類はあなたのお宅に隠してあるのですね？」

「はい」罪を全面的に認めて、彰子が涙声になった。「ふたりっきりで頑張って、やっとつかんだ留学のチャンスでした。それをふいにはできなかった。あの子には特別の才能があるんです。あなたも聴いたでしょう、あの子の演奏。わたしには、ああするしかなかった……」

涙ぐむ母親に、右京がとどめを刺した。

「人の命を奪ってまで伸ばすべき才能なんて、この世にはありませんよ」

小田島和也は特命係の小部屋で、すっかり元気を取り戻した息子と対面した。父親の顔を見て安心した雅彦はポケットの中を探り、金色に光る丸い物体を取り出した。旧二十円金貨だった。

「なんだ、おまえが持ってたのか」

薫が仰天すると、少年が愉快そうに笑った。父親が注意する。

「雅彦、そういうのを泥棒っていうんだぞ！」

「泥棒はおまえだろう！」

薫のつっ込みが入り、小田島は「すみません」と謝った。右京が少年を見て、言った。

「雅彦くんはお父さんのことを思って、隠していたのでしょう」

「わかっています。私が悪いんです。刑事さん、本当にすみませんでした。それで、雅彦はどうなるんでしょうか？」

「しばらくの間、児童相談所が預かってくれます」

和也が頭《こうべ》を垂れると、雅彦がすり寄った。

「ぼく、父ちゃんのこと、待ってるからね」

舌足らずの声でそう言われ、小田島は思わず声を詰まらせた。そのため、ただうなずくことしかできなかった。


真犯人を逮捕したにもかかわらず、右京と薫は刑事部長室に呼ばれ、内村部長と中園参事官から叱責を受けるはめになった。

「勝手なまねをするなとあれほど言ったはずだ！」

内村が叱り飛ばすと、追随するように中園が責め立てる。

「手配書にストップをかけたあげく、一課を出し抜いて犯人逮捕！　特命にそんな権限はないんだぞ！」

刑事課のトップふたりは面子を保つためにさんざん大声を出したが、叱られ慣れている特命係のふたりはまったく懲りていなかった。薫は部長室から解放されたとたんに、腹から笑いが込み上げてきた。

「芹沢に田淵が怪しいと伝えたもんで、伊丹たちは田淵商会に踏み込んだらしいですよ。あやうく誤認逮捕するところだったようです。しかし、右京さん、よく田淵がホンボシではないとわかりましたね」

「大防風湯ですよ」

「なんですか、それ?」

「漢方薬です。あれは慢性の関節リウマチによく効くんです。彼は右手がリウマチだったんですよ。あのようすでは右手に力が入らなかったはずです」

薫は田淵商会を訪れたときの場面を思い出した。田淵は漢字のラベルがついたビンから錠剤を取り出していたが、それが大防風湯なのだろう。揉み手しているように見えたのは、痛む右手をさすっていたのか。

「なるほど、ナイフで人を殺す力はなかったわけですね」

特命係の部屋に戻ると、角田が待っていた。

「大木と小松から聞いたが、無事解決したみたいだな」

「おかげさまで」

「ところでよ」角田の本題は別にあるようだった。「煙草買いたいんだけどさあ、二千円札、自販機で使えないんだよな」

角田が取り出した紙幣を右京が受け取り、鼻先に近づけて、まじまじと観察する。そして、財布を取り出した。

「ぼくでよければ両替しますが、その代わり、あとで返してくれと言いませんね?」

「言わない、言わない」

千円札を二枚渡した右京は、二千円札を眺めながら、

「思わぬお小遣いができました」

「どういう意味ですか?」

薫が興味を示すと、右京は二千円札の番号を指し示した。

「A444444A、これは珍番紙幣と言って、非常に珍しいものなんですよ。古銭商に持っていけば、十万円以上で売れます」

「え、二千円が十万! 返して、返してくれよ!」

角田は懇願したが、あとの祭りだった。

第九話
「殺意あり」

一

亀山薫は特命係の小部屋で軍人将棋をやっていた。対戦相手は角田《かくた》六郎である。角田は暇さえあれば自らの統べる組織犯罪対策五課を放ったらかしにして、特命係に遊びに来る。今日もまた差し迫った事件がなかったのだろう。かれこれ小一時間もゲームに興じている。もっとも、角田の主目的は雑談のほうにあるようで、先ほどからとある個人経営の外科医院で起きた事故についてしゃべっている。角田は情報通でもあり、どこからともなく噂話を聞きつける才能に恵まれていた。

「……で、手術中に死んじゃったってわけよ」

「手術中にですか?」

薫は相槌を打ちながらも、勝負にはこだわっている。なので、駒を慎重に動かした。

「手術ミスじゃないかって、もっぱらの噂だ。いやあ、うちの奥さんがね、ちょうどその病院にかかろうかって矢先だったんだけども、恐れをなしてやめちゃったよ」

一方の角田はぞんざいに自分の駒を動かし、薫の駒に被せた。紅茶の香りを愛でていた審判役の杉下右京がお楽しみを中断し、ふたりの駒をめくる。角田は「戦車」、薫は「地雷」で、薫の勝ちだった。

「よっしゃ、タンク、ゲット！　そりゃあそうでしょう、そんな危なっかしい病院」

「惜しいことしたな」角田が口をへの字に曲げた。「いや、戦車じゃなくて。奥さんで失敗してくれる分には、なんの問題もなかったんだけどね」

「ちょっと、課長！」

きわどい冗談に薫が軽く抗議の声を上げると、角田は「本気にするなよ」と受け流した。

「ご遺族は訴えないんですかね？」

初めて右京が口をはさんだ。

「え？」

「手術中に亡くなった方のご遺族です。そんな噂が立っているのなら、ご遺族も黙っていられないんじゃないですか？」

「訴訟ねえ」角田が腕を組む。「しかし、その遺族っていうのが、手術を執刀した張本人だからな」

「身内が手術なさったという意味ですか？」

「そう。執刀したのは患者の息子で、しかも院長だ」

「息子が？」

薫も興味をそそられたようだ。噂話が大好きな課長がうなずく。

「訴訟を起こすとなると、自分が原告で、かつまた、被告であるという非常にややこしい状態になる。だから、訴えんだろう」

「なるほど」右京が紅茶をスプーンでかきまぜた。「訴えないでしょうねえ」

　この噂に興味を抱いたのは刑事たちばかりではなかった。帝都新聞社会部の記者である奥寺美和子も負けず劣らず興味を持った。行動力がとりえの美和子は、事故のあった武蔵野青木外科医院にアポなしで院長に取材に行ったのである。しかしながら、いとも簡単に門前払いを食わされてしまった。その顚末を、〈花の里〉で夕飯を食べながら、薫に語った。

「無駄足だったわけか」

　恋人と肩を並べて食事していた薫がひと言でまとめた。

「薫ちゃんも気になるって言ってたでしょ。噂くらいじゃ、警察は動けないだろうから、体当たりで行ってみたわけよ」

「気にはなるけど、医療過誤の立件は難しいしな……」

「任せんしゃい。取材拒否は予定どおり」美和子はまったくめげてなかった。「これからじわじわ攻めていくわ」

　女将の宮部たまきが汁物の椀をふたりの前に差し出す。

「どちらにしても、お気の毒ね。手術にミスがあったとしてもなかったとしても、お父さまを亡くしちゃったわけでしょう？」

静かに猪口を傾けていた右京が異論を唱えた。

「いや、あったとしたら、単に気の毒じゃすみませんよ。業務上過失致死、立派な刑事事件です」

「でも、手術したの、息子さんなんでしょ？」

「息子だろうと誰であろうと、法律は変わりません」

「相変わらず四角四面な人ね」

たまきが口をとがらせた。

「はい？」

「少しは丸くならないと」

「いけませんか？」

元の妻の忠告を右京はどこ吹く風と受け流そうとした。元の妻も負けていない。

「それって、成長がないってことじゃない？」

右京がわずかに憮然とした面持ちになるのを見て、薫は忍び笑いを隠せなかった。そのとき、美和子の携帯電話が振動した。美和子が二つ折りの携帯電話を開く。公衆電話から電話が入っている。食事の手を止めて、小声で出た。

――帝都新聞の奥寺さんでしょうか?

「はい、そうですが」

――私、武蔵野青木外科医院で勤務医をしている小林と申します。

噂をすれば影とはこのことだった。

二

美和子は電話してきた小林医師と翌日会う約束をした。小林は約束どおりにやってきた。まだ若い――美和子や薫と同年配くらいの――医師だった。年齢の割に落ち着いた感じなのは、医師という職業柄なのだろうか。澄んだ瞳の奥に知性が感じられた。

待ち合わせ場所のホテルのラウンジには、右京と薫も素知らぬ顔で同席していた。男ふたりなど気にも留めず、小林が語りはじめた。顔に苦悩が浮かんでいる。

「迷ったんです。こういうことをすべきかどうか……」

「とにかく、話してみていただけませんか」

美和子が促すと、小林亘《わたる》は、意を決したようにうなずいた。

「ええ……先日、うちの病院で医療事故がありました。手術ミスです」

すぐに薫がでしゃばった。

「聞くところによりますと、院長先生がお父さんを?」

「はい」

美和子は咳払いをし、でしゃばりの刑事を牽制した。主導権を奪い返す。

「具体的に、どういうミスを犯したんですか？」

「動脈に傷をつけました。出血多量でした」

「小林先生はその現場にいらっしゃったんですか？」

「知らせを聞いて駆けつけました。私が行ったときには、もうすでに手遅れでした。できる限りの処置は行なったのですが……」

「どうして、その場で事故があったことを届け出なかったんですか？」非難するような口調で、再び薫が口を出す。「いまとなっては死因が明らかに手術ミスによるものかどうか、因果関係を立証するのは不可能ですよ」

小林がでしゃばり男と目を合わせた。低く響く声で言い放つ。

「届けられると思いますか？」

「え？」

「雇われの身で、そんなまねできると思いますか？『院長先生、あなたは手術ミスで患者を死なせました』なんて、言えると思いますか？ましてや、亡くしたのはお父さんです。追い討ちかけるようなまねはできませんよ」

じっと黙って話を聞いていた右京が、ここでおもむろに口を開いた。

「もしもあなたにそういうお気持ちがあるのならば、ずっと胸にしまっておくという選択肢もあったはずですね。むろん、それは決して褒められたことではありませんが、どうしていまになって、そんな重大な事実を打ち明ける気になったのですか？」

「だから申し上げたじゃないですか」小林が苛立ったように声を荒げた。「迷ったって。さんざん迷った末の決断です」

「医者として見過ごしにはできない、と？」

「そのとおりです。確かに、いまから院長先生を業務上過失致死の罪に問うのは難しいと思います。ですから、せめて新聞記事に取り上げていただこうと思って……」

「ええ」

美和子が了解してうなずくと、小林が怒りを露わにした。

「今回の事故を機に、医師免許を返上すべきなんです。だって、過去に二度も医療事故を起こしている人ですから」

聞き捨てならないひと言を、右京が確認した。

「二度の医療事故ですか？」

「流行りのことばで言えば、リピーター医師ってやつです。院長先生は医師不適格者だと思います」

特命係の小部屋で資料に目を通していた薫が顔を上げた。

「二件とも裁判所は医療ミスを認めてますね。損害賠償の支払い命令が下されています。だけど、こんなもん痛くもかゆくもありませんよ。賠償金はどうせ保険で支払われるんですからね」

同じように資料を検討していた右京が簡潔に答えた。

「そのようですね」

「医師免許を剝奪されることもなけりゃ、名前を公表されるわけでもない。ほとんど無傷で医者を続けられるんですよ」

「まあ、その点については、厚生労働省もようやく是正の動きを見せていますがね」右京はコメントを加えたうえで、「武蔵野青木外科医院は平成二年の開業ですか……」

「二件目の裁判の判決が出て、まもなくの開業だったみたいですね。一件目が、えっと、都内の……」薫は資料をめくって、該当の箇所を探り当てた。「聖山《ひじりやま》医科大学の総合病院でしょ。で、裁判沙汰のあと、神奈川の育英会中央病院に移ってますね」

「ミスを犯すたびに病院を移っているわけですか」

「賠償金でチャラだから、リピーター医師はのうのうと生き延びられる。天罰ですかね？」

「はい？」

「開業して院長に納まったと思ったら、三件目の医療ミス。しかも、それが肉親の命を奪う結果になるなんて」

「ところで、亀山くん。きみがもし患者だとしたら、院長先生に手術を頼みますか？

過去に二度、医療ミスを犯した外科医にです」

薫は、マグカップになみなみと注いだコーヒーに口をつけると、即答した。

「それはちょっと、ごめんですね」

「ぼくもです」

「当たり前ですよ。命は惜しいですから」

「ならば、院長先生のお父さんは命が惜しくなかったのですかね？」右京が疑問を提示する。「それとも、息子だから多少の腕の悪さには目をつぶったのでしょうか？」

「だとすると、院長先生のお父さんはなかなか勇敢ですね」

「おっしゃるとおり」

右京が同意した。

武蔵野青木外科病院は三階建てのこぢんまりとしたまだ新しい病院であった。その職員専用駐車場に今日もまた奥寺美和子の姿があった。スポーツカー・タイプの外車が敷地に現われ、髪の毛を茶色に染めた四十歳見当の男性が降り立った。ソフトスーツに胸をはだけたシャツという遊び人風の服装は、一見病院関係者には見えない。すかさず、美和子が駆け寄る。

「院長先生ですよね？」

「はい」男は怪訝そうに美和子を一瞥し、「いかにも私が青木ですが？」

美和子は名刺を取り出し、挨拶した。青木周作は苦笑いしながら、それを受け取る。

「昨日もいらっしゃったんじゃなかった？　帰ってもらうよう岡本くんに伝えたはずだ」

「ええ」美和子は青木の反応を確かめながら、「亡くなったお父さんの件について、お話をお聞きしたいのですが」

「ぼくはいま、喪中なんですよね」

「お悔やみ申し上げます」

「ま、いいか。立ち話もなんですから、中へどうぞ」

砕け散る覚悟で当たってみるものだと取材心得を心にメモしながら、美和子は通用口から建物の内部に入った。院長室に通されると、岡本というネームプレートをつけた看護師がお茶を運んできた。昨日、美和子に青木院長のことばを伝えて追い返した若い女性の看護師である。ちょっと気まずそうにお茶を出し、一礼して引き下がる。

ひと息ついた美和子が、質問を開始しようと院長机に目をやると、青木は椅子の背もたれに身をゆだね、窓のほうを向いていた。

「あの……院長、いかがでしょうか?」

青木の茶色い頭がびくっと動いた。

「ん、なに?」そう言って、椅子ごと振り返る。「ごめん、寝ちゃってた。昨夜飲みすぎちゃったもんでね。ご質問はなんでしたっけ?」

美和子は出鼻をくじかれた。


同じ時間、右京と薫は武蔵野青木外科医院の小林医師を訪ねていた。警視庁の刑事という身分を明かすと、小林は驚き、ふたりを屋上へ連れて行った。

「てっきり新聞社の方だとばかり思ってましたよ」

右京が会釈で応じる。

「申し訳ない。特に隠していたわけではありませんが、警察だと名乗ると、みなさん、警戒してしまうものですから。実は先生のところへおうかがいする途中、職員のみなさんにいろいろお話をお聞きしてきました。ここをお辞めになるんですか?」

「あ、お耳に入りましたか。だって、いられないでしょう。雇われの身としてあるまじき行為ですから」

「内部告発のことですね」

薫が確認すると、小林は肩をすくめた。白衣がとてもよく似合っている。

「で、私に話というのは？」

「みなさん、口をそろえて優秀な外科医だとおっしゃっていました」

「は？」

右京のことばは唐突で、小林は理解できなかったようだ。

「ですから、職員のみなさんの小林先生に対する評判です。若いけど腕は一流だ、と」

「はあ、そうですか……」

小林はいまだ刑事の真意がつかめないようすだった。

「となると、なおさら疑問です。せっかく腕のいい外科医がいるのに、どうして院長先生のお父さんは、外科医としては問題のある息子さんに手術を任せたのか」

「やっぱその辺は親子関係ですかね。息子だからという理由だけで手術を頼んだ？」

薫は右京の疑問に憶測で答え、小林にかまをかけた。小林が声を潜めた。

「その点について、看護師たちはなにも言ってませんでしたか？」

「と、おっしゃると？」

ここで小林が医療事故の全貌を披露した。青木周作の父、征十郎の胆嚢摘出手術は、最初小林が執刀し、順調に進んでいた。ところが、手術の途中で原因不明のめまいに襲われたのだという。患者の開腹が終わった段階で続行不可能だと判断した小林は、急遽院長にピンチヒッターを頼んだ。そして、控え室で休んでいる間に、院長がミスを犯した。看護師に呼ばれて手術室に戻ったときには、もはや手遅れだったのである。

「ある意味、私も外科医失格なのかもしれません。大事なオペでそんな大失態を演じるなんて。みなさんのお褒めの声が耳に痛い」

小林はそう締めくくった。

「で、急なめまいの原因は？」

右京が訊くと、小林は「わかりません」と答えた。

「一度、精密検査をお受けになったほうがよろしいかもしれませんね。いや、もうお受けになりましたか？」

「いえ。いろいろと忙しいもので。その後、特に体調不良というわけでもないですし」

「医者の不養生ということわざもあります」

右京の指摘に、小林は再び肩をすくめた。

「近いうちに診てもらうようにしますよ」

特命係のふたりの刑事が聞き込みを終えて、病院の通用口から外に出ると、美和子がいた。

「美和子、おまえも来てたのか？」

「院長先生にね、取材」

「首尾はいかがでしたか？」

右京が尋ねると、美和子は浮かぬ顔になった。

「なんだかもう、のらりくらりとさあ……」

「医療ミスについては、なんて言ってた」

薫の質問には背後から正確な答えが返ってきた。

「オペに百パーセントはあり得ない」

振り返ると、通用口から出てきた青木周作がいた。片頬に笑みを浮かべ、つかつかと自分の車のほうへ進んでいく。

「ぼくはそう言いましたよ。どんな簡単なオペでも常に死と隣り合わせ」

「つまり、ことさら追及を受けるようなミスはなかったという意味ですか？」

薫が念を押すと、「そういうこと」と答えながら青木は車に乗り込んだ。右京が運転席のウインドウをノックした。

「もうお帰りですか？」

「みんながぼくを同情の目で見るもんで、居心地が悪くて。あなたも新聞社の方？」

右京が警察手帳を見せる。

「いえ、私はこういう者です。杉下と申します」

薫も警察手帳を掲げているのを確認した青木は、

「あらまあ、刑事さんと知っていたら、愛想笑いのひとつもしたんですけどね。じゃあ、失礼」

そう言い残して、青木はスポーツカーを発車させた。

三

翌朝、登庁し、上等なコートと仕立てのよいスーツをハンガーに掛け終えた上司に、薫が新たな情報をもたらした。

「青木周作はギャンブルにはまっていたようです」

「ギャンブル？」

「ま、そこはさすがにお医者さん、商品相場ですよ。昨日は澄ました顔してましたけど、先物取引に夢中で借金まみれみたいです。内情は火の車」

「確か、院長先生のお父さまはかなりの資産家ではありませんでしたか？」

糊のきいたワイシャツにサスペンダーで吊った折り目のついたズボンという身軽ないでたちになった右京が訊いた。次は紅茶道具一式を並べた棚の前へ行って、今朝のカップを選ぶはずだ。薫はそういう予想をめぐらせながら、

「そっちも調べてみました。亡くなった青木征十郎さんは材木商で裸一貫から財を成し

た人物で、総資産は土地家屋を含めて約二十億。奥さんはもう亡くなられていて、周作はひとり息子です」

「となると、お父さまの遺産は院長先生がひとりで継ぐはずですね」

動機が明らかになった、と薫は思った。


ふたりは再び武蔵野青木外科医院に行き、小林医師に面会を求めた。前日と同じように屋上へ誘い、右京が訊いた。

「精密検査はお受けになりましたか?」

小林が照れたように笑う。

「いえ、まだ」

「ぜひ、一度お受けになっていただきたいんです」

右京のことばの真意を、薫が解説した。

「めまいが気になっているんですよ。めまいで手術続行不能にならなければ、院長先生が手術を代わる必要もなかった。青木征十郎さんは亡くならなくてすんだかもしれない。だから、ぜひともめまいの原因を特定したいんです。結果次第では、今回の一件は仕組まれたものかもしれない」

「決して偶然の悲劇などではない可能性が出てきます」

右京がおごそかな声で付け加えると、小林の顔が曇った。

「やはり恐ろしいですね、警察の方は。お話をうかがっていると、まるで院長先生がわざと……」

「ええ。わざとミスを犯して死に至らしめたとすれば、それはもう業務上過失致死などではない。立派な殺人です」

「おっしゃるとおりかもしれません」意を決したように小林が語りはじめた。「あまりおぞましい想像はしたくなかったから黙ってましたけど、オペの前々日、院長先生のお父さんが諸々の検査のために入院する前の晩、おふたりのいさかいを偶然聞いてしまったんです。院長先生は、切羽詰まった口調でお金を無心されているようでした。それに対してお父さんは、財産は当てにするな、ビタ一文遺さない、とつっぱねていらっしゃったようです」

「財産は遺さない。そうおっしゃったんですか?」

右京が確認すると、薫が抗議した。

「なんでそんな大事なこと、もっとはやく言ってくれなかったんですか!」

「言えるわけないでしょう」小林が逆に刑事に詰め寄る。「院長先生がお父さんを殺したんですか? これだけの内容で、事故ではなく殺人だと言い切れるんですか?」

「いや……」

語気に圧されて、薫がことばを濁した。

「私がはっきり断言できるのは、院長先生が手術中にミスを犯した、それだけです。憶測でめったなことは言いたくありません」

右京が柔和な表情になる。

「やはり先生は噂どおりの方でした。万事に慎重で誠実な方だと、みなさんおっしゃってましたよ」

小林が恐縮して怒りを収めたのを確認して、右京が続ける。

「それで、他になにかお気づきになった点、見聞きした事実などありませんか？　先生のお気持ちは十分にわかりましたから、どうか安心してわれわれに話していただけませんか」

「他にお話しするようなことは特に……」

言いよどむ小林に、右京が水を向ける。

「たとえば手術当日はいかがでした？　いつもどおりの段取りで手術に臨まれましたか？」

「ええ」一旦うなずいた小林がすぐに言い直した。「いえ、オペの前に院長先生に呼ばれて、少しお話をしました。それはふつうの段取りではありません」

「どんなお話をなさったのですか？」

「大したことではありません。院長先生が、お父さまは高齢なのでオペは短いほどありがたい、とか、だからといって慌てないで慎重にやってほしい、とか望まれました。そして、リラックスするようにとコーヒーが運ばれてきて……」

　右京のメタルフレームの眼鏡の奥が光った。

「コーヒーが運ばれてきましたか。それをお飲みになった？」

「飲みました」

「コーヒーはどなたが？」

「院長が頼んで、看護師の岡本くんが運んできましたが……」小林が呆れたような顔で刑事ふたりを見やった。「感心しますよ、あなた方には。コーヒーの中になにか入っていて、それが私のめまいを引き起こした。そう考えてらっしゃるんですね」

　皮肉を言われても、薫がひるまずに問いかける。

「味がおかしかったりしませんでしたか？」

「おかしかったら飲みません」小林は笑ったが、とたんに不安な顔になった。「なにか入っていたんでしょうか？」

「その可能性は否定できませんね」

「もしもコーヒーになにか仕込まれていたのだとしたら……」

「決定的ですよ。偶然の悲劇なんかじゃない」

これで手段も明らかになった、と薫は思った。

ふたりが院長室を訪れると、青木は知恵の輪に取り組んでいた。見るからに難解そうな金属製のパズルだった。刑事を応接セットのソファに座らせたまま、しばし悪戦苦闘している。そこへ看護師の岡本恭子がコーヒーを運んできた。薫が恨めしそうな視線でカップの中の黒い液体を眺めていると、青木がついに投げ出した。

「やっぱり、知恵が足りないのかな。はずれたためしがない。あなた、賢そうだ。これ、はずせます？」青木は知恵の輪を右京に渡し、ふたりの向かいに座った。「で、ご用向きは？」

右京が真剣に知恵の輪に取り組みはじめたのを横目で見て、薫が対応する。

「借金のほうはいかがですか？」

人を食ったような青木の態度にむかついた薫は、いきなり急所を攻めた。

「借金？」

「相場でずいぶん借金をお作りになっているそうですが」

青木は薄笑いを浮かべて、

「もうすぐきれいさっぱりですよ。遺産相続が終わればね」

「お父さんの遺産で借金の穴埋めですか」

嫌味たっぷりに薫が言うと、青木がわざとらしくしおらしい態度をよそおった。

「父親には感謝しています。虎は死すとも皮を残す。父親は莫大な財産を遺してくれました」

「これで、いかがですか？」

だしぬけに発せられたことばの文脈がわからず隣を見ると、右京が金属片をひとつずつ左右の手で持ってかざしていた。

「すばらしい！」

いましがたの態度はなんだったのかと疑いたくなるように、青木が大げさに喜んだ。


その夜、警視庁のトイレで薫が小用を足していると、右隣の小便器に捜査一課の三浦信輔が、ぬっと姿を現わした。

「おや、まあ、特命係の……」

薫が三浦の顔をのぞき込むと、今度は左側から忌々しい声が聞こえた。

「亀山ぁーっ」

振り返らずとも声の主が誰だかわかった。三浦の同僚にして、薫の不倶戴天の敵、伊丹憲一である。その不倶戴天の敵が話しかけてきた。

「おまえ、医療過誤をつっついているんだってな」

「どこで聞いた？」

自分で質問した直後に気づいた。角田課長に決まっている。

「特命は特命らしく暇にしてろよ」と、三浦。

「医療過誤はつっついてもむだだぞ」と、伊丹。「挙げたところで業務上過失致死。労働力に見合わない」

虚仮《こけ》にされっぱなしなのは、薫のプライドが許さない。

「あのな、ただの医療過誤だと思うなよ」

「どういう意味だ？」

「あ、いや、なんでもない」

「おい、言いかけてやめんなよ、この野郎」

伊丹がののしると、薫がすぐに応じた。

「おまえらには関係ないよ、バカ野郎」

「なんだと！」

伊丹が色めき立つのを、三浦が諫める。

「バカの言うことなんか、相手にすんな」

ここで薫は優越感を味わいたくなった。

「ははは、殺しの疑いがあるんだな、それが」

「殺しだと！」

　このとき背後から水を流す音が聞こえ、個室のドアが開いて、米沢守が出てきた。

「それは、聞き捨てなりませんな」

　伊丹は刑事部長室に直行し、いま仕入れたばかりの情報を内村部長と中園参事官に告げた。

「証拠はあるのか？」と迫る内村に、伊丹が「そんなものはないそうですが、杉下右京が絡んでいるので、まんざらホラ話でもなさそうです」と意見を述べた。

「どうします？」

　中園が顔色をうかがうと、内村がその目をにらむ。

「ほっとけ。結果が出てからでも遅くない」

「ええ、いつものように手柄は横取りしてやります」

　捜査一課の刑事の自信に満ちたことばを内村が聞きとがめた。

「横取りだと？　手柄は当然うちのもんだが、それは横取りとは言わない！」

四

　翌朝も右京よりも薫のほうが先に出勤していた。上司は特命係の部屋に入ってくるなり、朝の挨拶もそこそこに言った。

「相変わらずきみは口が軽いですね」

「え？」

「下でばったり伊丹刑事に会いました。頑張ってくださいと激励されました。まだ、殺人事件と決まったわけじゃありませんよ」

「すみませんでした」と、薫が謝る。「つい、口が滑って」

「ですが、ただの医療過誤とも思えません。コーヒーが怪しい」

「ですよね」コーヒーを淹れる手を止めて、薫が我が意を得たりとうなずく。「ぜったい怪しいですよ」

「しかし、逆でしょう」

「逆？」

いつものことではあるが、薫はまたしても変わり者の上司に翻弄された。

右京と薫はその日もまた武蔵野青木外科医院へ出向いた。尋ね人は屋上にいると聞き、そこを訪れると、確かに目的の人物は屋上のベンチに座り、ぼんやりと町の景色を眺めているようだった。

右京はその人物に背後から近づきながら、あえてせりふを聞かせるように声を張った。

「コーヒーが怪しい。しかし、目の前で細工するのは難しい。ならば、運んできた人物が細工したのでしょうか」

その人物、看護師の岡本恭子がふたりの気配に気づき、振り返った。

「そう考えたとき、ふと思いました。帝都新聞の奥寺さんが最初にこの病院に来たときに名刺を渡したのは、岡本さん、あなただったそうですね」

突然、質問を受けたかたちになった恭子は、虚をつかれて答えられなかった。右京が続けた。

「その名刺が小林先生に渡ったのはたまたまなのか、それともなにか意味があるのか。そこで、ちょっと調べてみました。驚きました。あなたが院長先生の下で働いていらっしゃるなんて。ふつうでは考えづらいことですよね」

恭子が沈黙を保ったまま立ち上がった。薫が戸籍謄本を取り出し、看護師の目の前に突きつける。

「お兄さんがいらっしゃるみたいですね」

ちょうど同じ頃、同じ病院の手術室では院長の青木が、小林医師を呼び出していた。

「ちょっと訊くけど、親父は本当に助からなかったのかな?」

小林はいったいなにを言い出すのか、という顔になり、「どういう意味でしょう?」

と返した。

「ぼくが手元を狂わせて親父の動脈切っちゃったあと、きみが駆けつけて応急処置を引き継いでくれたよね。きみの腕をもってしても、助けられなかったのかな？」

「全力を尽くしましたが、力及ばず残念な結果になってしまい、申し訳なく思っています」

そう言って、小林は頭を下げた。

「実は昨夜、杉下という刑事さんがぼくのところへ来てね、やたらとしつこく訊くんだよ。『手術の最中、体調は万全でしたか？』って」

小林は続きが気になるようすで、ゆっくりと顔を上げて、院長に視線をやった。

「正直言うとおかしかったんだ。倦怠感、それから、めまい、ふつうじゃなかった。けれど、目の前で親父がはらわたを見せたまま横たわっている。きみに続いてぼくまで途中でやめるわけにはいかないだろう。だから、無理をしたんだ」

ここで青木は、小林の反応を確かめるかの如くことばを切った。小林は驚いたような表情になり、じっと相手を見ていた。青木はポケットに両手を突っ込んで、再びしゃべりはじめた。

「どんな理由があれ、ミスを認めれば業務上過失致死。民事と違って刑事で有罪になると、医師免許を剝奪されかねないから、刑事さんにはあくまで否定したよ」

「そんなことが……」

「示し合わせたようにふたりとも体調不良なんて、おかしくない？」

小林の目にふっと影が差す。青木は構わずことばを継ぐ。

「おかしいよね。おかしいとは思ったけど、深く考える気力もなかった。思い出したくもないできごとだからね。でも昨夜、刑事さんから指摘されて、改めて考えてみたんだよ、冷静に。そして、気づいたんだ。小林という苗字はありふれているからね」

「はい？」

「思ってもみなかったよ」

青木がポケットから手を出した。その右手にはメスが握られていた。すばやい動きで鋭利なメスの刃を小林の首筋に突きつける。

「質問に答えてくれ。手遅れだったのか？　親父はもう助からなかったのか？」

そのとき手術室のドアが開いた。右京と薫が岡本恭子を引き連れて現われたのだ。薫は室内の緊迫した場面をひと目で理解した。

「院長、やめてください！」

青木が振り返って、無念そうに舌打ちした。

「ご心配なく。ちょっと尋ねごとをしているだけなんで」

「他人にものを尋ねているようには見えませんよ」

右京が室内に一歩足を踏み入れて指摘すると、薫が青木の前に立って説得した。

「とにかくメスを下ろしませんか。そんなふうに使うものじゃないでしょう」

「だよね」

意外と簡単に説得に応じ、青木はメスを薫に手渡した。それを確認してから、右京が傍らの看護師の素性を明かした。

「こちらの岡本恭子さん、旧姓は小林です。小林恭子さん」

青木は恭子に近づくと、至近距離でまじまじとその顔を見つめた。恭子もそれに対抗するかのように、仮面のように無表情を取り繕って、相手を見つめ返した。

「そっか、女は苗字が変わったりするから、ややこしいね」

「ええ」と、右京。「あなたの最初の医療過誤によって命を落とされた、小林賢三郎さんのお嬢さんです。そして、そちらの小林亘医師が彼女のお兄さんです」

メスを突きつけられても、身許を明かされても、小林は身じろぎひとつしなかった。冥《くら》い目をずっと青木に浴びせたままだった。視線の攻撃に耐え切れなくなった青木があえて陽気な声を出した。

「まさか息子が外科医になってるなんてね。兄妹で連携プレーか」

右京は妹を目で示しながら、

「こちらがコーヒーに細工をしたんだと思いますが、このとおりなにも話してくれません。ですから、お兄さんのほうにお訊きしようと思いましてね。確かにコーヒーに細工がされていた。しかし、それは院長先生のほうにだけ。あなたのほうにはなにも入っていなかった。つまり、めまいというのは嘘で、手術を途中で放棄して、院長先生に代わっていただくためのお芝居。そうですね？」

「ぼくにオペをしくじらせるためにか！」

憎々しげに吐き捨てた青木に、右京が向き直る。

「院長先生とお父さまの会話を偶然聞いた小林先生は、千載一遇のチャンスが到来したとお思いになったのでしょう。試してみる価値はある、と。違いますか？」

最後の質問は小林亘に向けられたものだった。外科医は不敵な笑みを浮かべて言った。

「ばれちゃいましたか」

「兄さん！」

恭子が止めようとしたが、小林はすでに腹をくくったようだった。

「でもどうして？　あなた方が調べていたのは院長先生でしょう？」

「あなたについても、いくつか腑に落ちない点がありました。たとえば、精密検査をお受けになろうとしなかった点。まずはそこがひっかかりました。ご自身でおっしゃっていたように、めまいで手術を中座するなんて大失態です。あなたほどの外科医なら、二度と同じ轍《てつ》を踏まぬよう、なにをおいてもまずめまいの原因を調べるのではないでしょうか。しかし、あなたはそうしなかった。違和感を覚えました」

小林はなにも言わずに右京の話を聞いている。まるでひと言でも聞き漏らすまいと集中しているようだ、と薫は思った。

「それから、懸案のコーヒーです。なぜ、手術の直前にそれをお飲みになったのか。あなたは手術前の水分を控えていたはずではありませんか？　手術中に用を足したくなったりすると、厄介ですからね」

薫が右京の話に割り込んで、補足する。

「看護師のみなさんもおっしゃってました。ご自分を厳しく律して手術に臨まれる小林先生は立派だって」

「ぼくとは大違いだね」

院長の茶々を右京は無視した。

「ところが、あの日に限ってお飲みになった。なぜでしょう？　最初から手術を中座するつもりだったからですよ」

「慎重に」小林が静かに言った。「やったつもりだったんだけどな」

「ええ。あなたは慎重でした。なにより、情報を小出しにしたところが心憎い。先回りして証言しすぎると、たいがい墓穴を掘ります。しかし、あなたはわれわれが追いついてきたところを見計らって、その都度、重要な情報を出された。わずかな部分を除けば、完璧でしたよ」

「ねえ、小林くん」青木が直前とは打って変わってまじめな口調になった。「質問を繰り返す。親父は助からなかったのか？　きみがやってだめだったんだから、きっと親父は助からなかったのだろうと思ってた。手術の腕はぼくよりもきみのほうが数段いいからね。でも、本当にそうだったのか？」

黙秘して院長を見つめるだけの兄に代わって、妹が口を開いた。

「手遅れよ。決まってるじゃない。あなたが殺したのよ！　わたしたちの父を殺したように、あなたは自分の手でお父さんを殺したのよ！　自分で蒔いた種だわ。一生、苦しめばいい！」

まるで呪うかのような恭子の激しい糾弾に青木がたじろぐ。右京が小林に問いかけた。

「手遅れだったのですか？　実はぼくもそこが非常に気になっています。教えていただけませんか？」

「助かったと思いますよ」

小林の口から放たれたひと言は、その場にいたすべての人間に衝撃を与えるものだった。

「院長先生の応急処置は適切でした。あのまま続けていたら、お父さんは助かっていたでしょう」

そう言われてもまだ、薫は信じられない思いだった。

「それじゃ、あんたが人殺しじゃないか！」

「だって、死んでもらわなきゃ、復讐にならないでしょ」

ぞっとするような冷たい視線を向けられ、薫はようやくそれが真相だと悟った。同時に悟ったはずの恭子が叫ぶ。

「嘘よ！　殺したのは兄さんじゃない、院長よ！」

「いや、ぼくなんだ」小林は妹にそう言うと、挑むように青木に面を向けた。「ほっとしましたか？」

得体の知れない動物でも見るような目で青木が問う。

「どうして白状しちゃうんだい？　ぼくが殺したことにしなきゃ。そうしないと、復讐にならないよ」

「もう十分ですから。どちらが殺したにせよ、妹の言うとおり、あなたが蒔いた種だ。一生苦しむにはそれで十分でしょう。それにね、こうなった以上、私は自分の過ちも罪も素直に認めたい。証拠がないだろうなんて醜い言い逃れはしたくないんです。それが、あなたと私の違いですよ」

小林に睨まれ、青木は顔色を失った。右京が小林を問い質す。

「復讐のために、瀕死の患者を前にして、あなたは医者であることを放棄なさったわけですか？」

「ええ、あのとき私は医者を辞めました。けれど院長、あなたはもっとはやく辞めるべきだった！」

「ぼくだって、本当は辞めたかった。いや、そもそも医者になんかなりたくなかった。なのに親父が無理やり、金にもの言わせて……親父のやつ、自分の虚栄心を満たしたかっただけなんだ！」

この院長の心の叫びはむなしく響くだけだった。右京は青木にはかまわず、小林と向き合った。

「もうひとつだけお訊きしたい。あなたはこれまでたくさんの命を救ってこられたと思います。しかし、あなたが外科医の道を選んだのは、ひとつの命を奪うためだったのですか？」

小林はさも当然とばかりに言い放った。

「ええ、もちろんそうですよ」

そのことばに薫は凍りついた。右京の瞳には深い悲しみが宿っていた。

五

右京と薫はむなしい気持ちを引きずったまま、雑踏の中を歩いていた。青木周作も小林亘もどちらも人間の皮を被った怪物だったのではないか。薫はそんな思いを抱いていた。

だからだろうか。ふとすれ違った人間の中に怪物が発するような異様な邪気を一瞬感じたのは。後ろを振り返ったが、特におかしな人物は見当たらなかった——断崖から海に飛び込んで死んだはずの殺人鬼、浅倉禄郎のような人物は。

「どうかしましたか?」

右京が相棒を気遣った。

「いえ、別に」

ふたりはまた、重い足取りで歩きはじめた。目だけはしっかり前に向けて。

密かな期待

輿水泰弘

「相棒」の仮のタイトル、つまり企画書段階でのタイトルは「黄金刑事《ゴールデン・コップス》」だった。

いま思えば、ずいぶんいちびったタイトルをつけたものだが、僕は大真面目だった。内容はもちろんのこと、タイトルも土曜ワイド劇場らしからぬもので勝負に出ようと、鼻息を荒くしていたのだ。もしそのままでGOサインが出ていたとしたら今頃は……うーん、想像つかない。

「このタイトルは、ちょっとね……」

プロデューサーの松本基弘さんが冷静かつ慎重な判断で却下してくれたお陰で、無事「相棒」というタイトルに落ち着いた。最初のうちは「警視庁ふたりだけの特命係」というサブタイトルも付いていたが、それは松本さんが付けたものだ。いかにも土曜ワイド劇場っぽい配慮が微笑ましい。

さてテレビ朝日の土曜ワイド劇場という二時間サスペンスの老舗で船出した「相棒」だったが、それからまもなく、これまたテレビ朝日では老舗の水曜九時・刑事ドラマ枠という大海原での航海をスタートさせた。が、正直、当初は土曜ワイド劇場で挙げたほどの成果は挙がらなかった。決して悪い視聴率ではなかったが、良くもなく、期待されていたぶん、納得のいく結果ではなかった。

それでも、もう終わりにしようという声が全く聞こえなかったのは、局内で（それも上層部に）中身を評価してくださる方々がいらっしゃったためだ。そういう方々の「面白いよ。頑張って」という声に何度励まされたことか。

そうは云っても、テレビ情報誌からは殆ど黙殺され、ＤＶＤ化があたりまえというようなご時勢にも関わらずＤＶＤの「デ」の字も出ず、その頃の僕は正直寂しい、というか、悔しい、というか、とどのつまりは、ちょっと拗ねた気分になっていたのも事実だ。

そんな頃だった、と記憶している。

「ノベライズの話があるんだけど」

松本さんからそう聞いた僕は、「ふーん」と気のない返事をした。拗ねた気分を引きずっていたり、「相棒」の次回作で煮詰まっていたりしたからだが、まだ全く具体化されていないプランで糠喜びしたくなかったというのが本音である。しかも「やめた方がいいんじゃない？　売れないよ、きっと」と、僕はしっかり水まで差した。すると松本さんは苦笑しつつ、「でもね、ぜひやりたいって云ってくれてるから」と、僕の虫の居所に配慮したのか、それ以上ノベライズの話はしなかった。

それからずいぶん時間が経って……。依然として「相棒」は続いていたが、その間に各界の相棒ファン（を公言してくださる方々）がアクションを起こしてくださり、お陰で、ちらほらテレビ情報誌でも取り上げられるようになり、公式ガイドブックまで発売され、それらと前後して視聴率も上昇気流に乗り始め、念願だったＤＶＤ化も実現し、それまで何度か冗談としては話題になっていた映画化の話までが具体化されて、僕自身、嬉しい反面、一体なにが起こったんだろうと戸惑いを感じていた矢先、松本さんから再び話があった。

「ノベライズするよ」

その断定的な云い方の通り、今度は具体的なプランになって動き始めようとしていた。

僕は仰天した。いや、べつにノベライズされることに驚いたわけではない。ノベライズを本職のミステリ作家がすると聞いて腰を抜かしそうになったのだ。

確かに右京は名探偵という設定だ。薫は当然その助手役で、ホームズならワトスン、ポワロならヘイスティングスというような座組みにはなっている。もちろん名探偵が登場する以上、ドラマの内容も刑事ドラマながら本格ミステリのテイストを盛り込んで展開（しようと）してきたわけだが、そうは云っても僕などはコメディばかり書いてきたミステリの素人、挙げ句は「トリックよりレトリックだっ！」などと訳の判らないことを叫びながら書いてきた作品だから、本職のミステリ作家にノベライズしていただくなんて失礼に当たるのではないか、と危惧した。

「そうだ！　いっそ、オリジナル書いてもらおうよ」

僕は松本さんに提案した。かなり本気で云ったつもりだ。せっかく本職のミステリ作家が関わってくれるのだったら、ぜひとも右京と薫が活躍する本格ミステリ小説を書いて欲しい。僕自身がそれを読みたかったのだ。すると松本さんはいつものように苦笑しつつ、「ま、おいおいそういうこともあるかもしれないけど、まずはノベライズね」と、勝手に盛り上がっている僕をなだめた。

かくして「相棒」がノベライズ出版された。

云うまでもないが、ノベライズの最大の功労者は碇卯人さんだ。ストーリーを追うだけでも精一杯というような厳しい制限枚数の中で、見事に「相棒」を小説化している。テレビドラマとは違う味わいの、まさしく読み応え満点の小説として成立させるその手腕には脱帽である。そして、なにより本職のミステリ作家として、僕らの脚本にきちんと批判の目を持って挑んでくださっていることが心強い。

その碇さんに一度お目にかかる機会を得たので、僕は思いきって云ってみた。「オリジナルを書いてくださいませんか」と。確約はもらえなかったが好感触を得た（と勝手に思っている）。「そしたら、それを原作にして僕が脚本を書きますよ」と調子のいいことを云う僕に、碇さんはそのお人柄通り穏やかな笑顔を向けた。

でも僕は本気である。いつか碇さんの気が向いた時にオリジナルを書いてもらい、それをドラマ化する。そういうふうに発展したら楽しいじゃないか。

ああ、それからもうひとつ。実は密かに期待していることがある。それは、碇さんが今後このノベライズを続けてくださる中で、ふと悪戯心を出して、ストーリーを変えてしまうことである。題名も設定も登場人物もテレビと一緒なのに、読み進めると右京の推理の道筋が違って犯人が別の人物になっていたりするのだ。もしそんなことが起こったら、僕は喝采するだろう。中にはテレビと違うじゃないかと怒る人もいるかもしれないが、僕はそういうサプライズが大好きだ。ぜひ気が向いたらお願いしますね、碇さん。オリジナルの件も含めて。

最後に、「相棒」をずっと応援してくださっている関係各位に、この場を借りて御礼申し上げたい。とりわけノベライズを強く推進し、碇さんという本職を指名した朝日文庫編集長の大槻慎二さんの大英断に拍手を送りたい。「売れないよ、きっと」なんて云って本当にごめんなさい。僕の予想に反して売れ行き好調らしいですね。喜ばしい限りです。

それから、なによりこうして小説版「相棒」をお買い上げくださったあなた——エッ？　立ち読み中？　それでも結構。目に留めていただけただけで光栄です。が、そのままレジへ直行していただけると、なお光栄です——に心から感謝致します。これからも「相棒」を宜しくお願いします。

（こしみず・やすひろ／脚本家）

相棒 season 2（第1話～第10話）

STAFF

プロデューサー：松本基弘（テレビ朝日）
　　　　　　　　香月純一、須藤泰司、西平敦郎（東映）

脚本：輿水泰弘、砂本量、櫻井武晴

監督：和泉聖治、大井利夫、橋本一

音楽：池頼広

CAST

杉下右京……………………………………水谷豊
亀山薫………………………………………寺脇康文
奥寺美和子…………………………………鈴木砂羽
宮部たまき…………………………………高樹沙耶
伊丹憲一……………………………………川原和久
三浦信輔……………………………………大谷亮介
角田六郎……………………………………山西惇
米沢守………………………………………六角精児
内村完爾……………………………………片桐竜次
中園照生……………………………………小野了
小野田公顕…………………………………岸部一徳

制作：テレビ朝日・東映

第１話
初回放送日：2003年10月８日

ロンドンからの帰還　ベラドンナの赤い罠

STAFF

脚本：輿水泰弘　　監督：和泉聖治

GUEST CAST

小暮ひとみ …………須藤理彩　武藤かおり……………松下由樹
大河内春樹 …………神保悟志　浅倉禄郎………………生瀬勝久

第２話
初回放送日：2003年10月15日

特命係復活

STAFF

脚本：輿水泰弘　　監督：和泉聖治

GUEST CAST

小暮ひとみ …………須藤理彩　小暮慶介………………清水紘治

第３話
初回放送日：2003年10月29日

殺人晩餐会

STAFF

脚本：櫻井武晴　　監督：大井利夫

GUEST CAST

藤間ゆり子 ………山口美也子　榎並昭夫………………二瓶鮫一
大曲幸吉 ………………渡辺哲　庚塚英明………………大高洋夫
滝沢恵美 ……………西尾まり　沼功……………………西田健

第４話
初回放送日：2003年11月５日

消える銃弾

STAFF

脚本：砂本量　　監督：大井利夫

GUEST CAST

苫篠武 ……………下條アトム　青山晴美…………………氏家恵

第５話

初回放送日：2003年11月12日

蜘蛛女の恋

STAFF

脚本：砂本量　　監督：大井利夫

GUEST CAST

七森雅美 …………中島ひろ子　七森日出子……………岩本多代

斎東リカ ……………加藤貴子

第６話

初回放送日：2003年11月19日

殺してくれとアイツは言った

STAFF

脚本：砂本量　　監督：大井利夫

GUEST CAST

菅原英人 ………………大杉漣　倉貫健次郎……………中村俊太

菅原珠江 …………結城しのぶ

第７話

初回放送日：2003年11月26日

消えた死体

STAFF

脚本：櫻井武晴　　監督：和泉聖治

GUEST CAST

阿部由紀子 …………宮地雅子　多治見修………………若松武史

若杉栄一 ………………マギー

第８話

初回放送日：2003年12月３日

命の値段

STAFF

脚本：櫻井武晴　　監督：橋本一

GUEST CAST

神田喜一 ……………中原丈雄　辻真理子……………麻丘めぐみ

第9話

初回放送日：2003年12月10日

少年と金貨

STAFF

脚本：砂本量　　監督：和泉聖治

GUEST CAST

松金彰子 ……………田島令子　小田島雅彦……………須賀健太
小田島和也 …………入江雅人

第10話

初回放送日：2003年12月17日

殺意あり

STAFF

脚本：輿水泰弘　　監督：大井利夫

GUEST CAST

青木周作 ……………鶴見辰吾　岡本恭子…………………林美穂
小林亘 …………………坂上忍　浅倉禄郎………………生瀬勝久

相棒《あいぼう》 season２　上　　朝日文庫

2008年３月30日　第１刷発行
2008年６月５日　第５刷発行

脚　　本　輿《こし》水《みず》泰《やす》弘《ひろ》　砂《すな》本《もと》量《はかる》　櫻《さくら》井《い》武《たけ》晴《はる》
ノベライズ　碇《いかり》　卯《う》人《ひと》

発 行 者　矢部万紀子
発 行 所　朝日新聞出版
〒104-8011　東京都中央区築地5-3-2
電話　03-5541-8832（編集）
03-5540-7793（販売）
印刷製本　大日本印刷株式会社

定価はカバーに表示してあります

ISBN978-4-02-264434-3

落丁·乱丁の場合は弊社業務部（電話03-5540-7800）へご連絡ください。
送料弊社負担にてお取り替えいたします。